Les hasards sont assassins

L'auteur

Hubert Ben Kemoun vit à Nantes sur les rives de la Loire. Arpenteur de bitume, il répète volontiers qu'il aime davantage les villes que la campagne, encore faut-il qu'un fleuve ou une rivière les traversent.

D'abord auteur de chansons, il a écrit des pièces et des feuilletons pour Radio-France pendant une douzaine d'années. Auteur également pour le théâtre et la télévision, il a publié, à ce jour, près de quatre-vingts ouvrages en littérature jeunesse.

Le « noir » est un des continents sur lequel il accoste le plus souvent avec ses romans. Hubert Ben Kemoun a aussi un certificat de séjour illimité dans les contrées sauvages de l'Oulipo (des jongleurs de mots complètement fêlés).

Dans ses pages, il emmène volontiers ses lecteurs petits ou grands, sur les rivages de la peur. Ceux-ci en savent bien autant que les adultes sur les bonheurs que peuvent procurer les histoires épicées de véritables émotions.

Son nom veut dire en hébreux : fils (Ben) du cumin (Kemoun) ; peut-être est-ce pour cette raison qu'il aime que les pages aient du goût ?

Peut-être... car en tout cas, rien n'est dû au hasard.

Hubert Ben Kemoun

Les hasards sont assassins

Loi n° 49-856 du 16 juillet 1949
sur les publications destinées à la jeunesse : juin 2002
© 2002, éditions Pocket Jeunesse, département d'Univers Poche.
ISBN 2-266-11071-3

Pour mes fils, Nicolas et Nathan.

Le hasard est le déguisement que prend dieu pour voyager incognito.

Albert Einstein.

1
Coup de blues

L'enveloppe était là, posée et déchirée sur la table du petit déjeuner. La lettre était sortie dépliée. Une tache de beurre avait fait une vilaine auréole grasse, en haut à droite, à l'emplacement de la date. La date de la veille. Vendredi 18 février.

Une page entière avec simplement une quarantaine de mots semés comme un étrange archipel perdu dans un grand océan de papier. Quatre lignes sèches qui annonçaient la mauvaise nouvelle et ne laissaient aucun espoir.

Dans le dos de Stanislas, la cafetière crachota un ultime gargouillis. Le jeune homme reposa son courrier sur la table et se leva pour éteindre l'appareil. Il tremblait lorsqu'il remplit son bol. Quelques gouttes éclaboussèrent la table et trois nouvelles taches vinrent salir un peu plus cette maudite lettre. Il l'avait reçue voilà à peine un quart d'heure, et déjà il aurait pu la réciter par cœur. Pas seulement parce qu'elle était courte et facile à mémoriser, mais parce qu'il n'avait cessé de la relire depuis qu'elle était arrivée. Comme pour s'assurer qu'il n'avait pas fait une erreur, qu'il n'avait pas compris à l'envers.

Stanislas se prit la tête entre les mains. Son coude droit alla tremper dans les éclaboussures de café, il ne s'en aperçut pas. Il transpirait et pourtant un frisson glacé ne cessait de le parcourir. Les yeux perdus dans son bol fumant, il répéta pour la centième fois depuis un quart d'heure :

– C'est pas possible ! C'est pas possible !

Il n'y avait pas de larmes, juste cette douleur, cet échec.

Il relut encore.

Après vérification, nous avons le regret de vous annoncer que vos résultats aux examens du concours d'entrée à l'École supérieure de la Police nationale ne nous permettent pas de retenir votre candidature.

Veuillez agréer, Monsieur...

Pas de larmes, plutôt cette colère qui montait.

D'une gifle violente, Stanislas envoya son bol valser. Ce fut d'abord le couteau planté dans le beurre qui reçut le coup. Le beurrier tomba par terre et se brisa en deux. Le bol de café suivit, solidaire. En explosant contre la faïence de l'évier, il signa de son jus brun une énorme tache qui commença à dégouliner sur le carrelage de la cuisine après avoir dédicacé le placard des produits d'entretien.

Certains rêvent de devenir vétérinaire, chercheur d'or, spationaute, chanteur de rap ; lui, depuis toujours, il n'avait rêvé que d'une chose : entrer dans la police ! Y faire sa place, devenir un jour inspecteur et plus tard, bien entendu, passer commissaire. Pas n'importe lequel, le meilleur, celui qui fait référence et force l'admiration. Le crime l'attirait, le séduisait, il n'avait de cesse de le traquer dans les journaux, il dévorait les romans policiers comme si ces livres avaient été des manuels d'apprentissage pour son futur métier. Attention, ce n'était pas la défense de la loi qui le passionnait à ce point, mais bien le crime, le goût du sang, l'habileté de l'assassin à déjouer la traque, la ténacité de l'enquêteur pour démêler les fausses pistes des bonnes. Stanislas de Saint-Avril savait qu'il était né pour ça ! Il l'avait toujours su ! D'ailleurs, les choses étaient en bonne voie. Six mois auparavant, il s'était présenté aux tests lui permettant de s'inscrire au concours d'entrée à l'École, et tout avait parfaitement marché. Avant cet important concours, qui s'était déroulé quinze jours plus tôt, il ne s'était pas particulièrement préparé aux épreuves. À quoi bon s'angoisser ? Entrer dans la police, c'était son destin. Sa future « famille » allait l'accueillir à bras ouverts.

Stanislas était revenu très satisfait des épreuves écrites. Une dissertation sur la vie en banlieue. Il leur en avait pissé dix-huit pages – écrites gros, certes, mais quand même ! Si on ne l'allumait pas trop sur l'orthographe et les fautes de style, son devoir valait bien dans les 15 ou 16, pas moins. L'après-midi, les maths et les tests de logique n'avaient été qu'une formalité. Il s'était même demandé si on ne le prenait pas pour un demeuré, d'oser lui proposer de compléter ces listes de chiffres ou de lettres. En tout cas, cela lui avait semblé bien plus facile que les mots fléchés et mots placés de l'édition du dimanche de *Ouest-France*.

Le lendemain matin, il s'était rendu dans un gymnase sur le campus universitaire pour les épreuves sportives. Là, rien à dire, Stanislas s'était trouvé carrément olympique. Et si l'examinateur lui avait adressé un signe de félicitations alors qu'il retournait vers les vestiaires, ce n'était certainement pas pour des prunes...

L'après-midi, pour finir, il avait eu l'entretien avec le psychologue. C'était l'épreuve qu'il redoutait le plus (on ne se méfie jamais assez de ce genre de chercheurs de poux, pensait Stanislas), mais, là encore, de cette heure passée avec ce vieux bonhomme aux tempes poivre et sel, il était ressorti rassuré, confiant et plus certain que jamais de sa prochaine sélection.

Oui mais alors, qu'est-ce qui avait pu clocher ?

Car dans la tête de Stanislas de Saint-Avril – à nouveau posée entre ses mains – était gravé en lettres dorées et majuscules, depuis toujours : Mon

AVENIR EST DANS LA POLICE ! Et certainement pas de moisir comme vigile de surveillance au Carrefour de Beaulieu. Ça, c'était juste pour s'occuper, pas plus, en attendant que débute sa longue et prestigieuse carrière dans le corps de la Police nationale. C'était gravé ! Alors pourquoi était-il écrit le contraire dans cette saloperie de lettre ? !

Où était la faille, l'erreur ?

Elle ne pouvait pas venir du service des examens, le courrier disait qu'il y avait eu une vérification. Il était impossible qu'elle vienne de lui, pendant l'examen Stanislas avait été royal, olympique, exemplaire, admirable... bref, le meilleur. Stanislas avait tendance à user d'un très joli stock d'adjectifs pour se désigner.

Le psychologue... cela ne pouvait venir que du psychologue !

Ce vieux débris lui avait posé des tas de questions très personnelles. Il avait commencé par l'interroger sur le décès de son père, avait embrayé ensuite sur ses relations avec sa mère.

– Et donc, vous l'appelez tous les jours ? avait insisté le type.

– Au minimum, avait répondu franchement Stanislas, en songeant qu'il affichait là un profil de bon fils attentionné et aimant. C'est important pour elle, et pour moi aussi. Nous sommes très complices !

Puis il avait fait une pause. Il préférait garder pour lui que depuis trois ans qu'il avait quitté le domicile maternel, sa mère lui versait réguliè- rement une substantielle somme « d'argent de poche » qui lui permettait d'avoir un train de vie plus qu'agréable. Il s'était contenté de balancer au psy, en résumé :

– En quelque sorte, ma mère est ma meilleure amie.

– Vous en avez d'autres ?

– De mère ? ! ! ! Je n'en ai qu'une ! ! !

– D'amis, monsieur de Saint-Avril, je vous demande si vous avez d'autres amis ! avait répété le psy, amusé par la confusion de son candidat.

– Quelques-uns... mais je ne leur trouve pas tou- jours le sérieux, la droiture que je peux attendre d'un ami ! (Et toc, voilà qui était excellent pour montrer qu'il savait être exigeant.) Avec les femmes, c'est pareil. Mais à vingt-trois ans, j'ai encore le temps !

– *Oui... ?*

Stanislas n'avait pas aimé ce *oui... ?* resté en sus- pension dans l'air, au-dessus du bureau.

– Oh, n'allez pas croire, j'ai déjà été avec une... enfin... je ne suis pas homosexuel !

– Oui... ? Et c'est grave, d'être homosexuel ? avait demandé le type en le fixant.

– Non, mais, enfin... c'est pas mon problème... Je veux dire que j'aime les femmes, mais pour l'ins- tant, ça n'a jamais été assez sérieux !

– Et vous êtes quelqu'un de sérieux.

Était-ce une question ou un verdict ? Stanislas n'avait pas bien saisi. À tout hasard, il avait répondu :

– Je crois que oui, je suis un homme sérieux. Je prétends avoir le sérieux dont doit faire preuve un membre de la police. (Et re-toc, si ce n'était pas sacrément bien envoyé, ça ? !)

– Bien... très bien... avait dit le vieux psy.

Puisqu'il avait dit « bien », c'est qu'il avait bien répondu. Il en était certain l'autre jour après cet entretien. Seulement aujourd'hui, il se demanda si, dans la bouche de ce genre de types qui se creusent la tête à longueur de temps, ce « très bien » ne voulait pas dire autre chose.

Après ils avaient parlé de ses loisirs. De sa passion pour les armes, de son sens de l'ordre. De son flair aussi (bien vu, le mot *flair*, s'était-il dit) pour repérer les voleurs à l'étalage et décourager les bandes de zonards qui débarquaient pour « foutre le bordel » au Carrefour de l'île Beaulieu.

Le psy avait pris quelques notes. Il semblait très intéressé et hochait sans arrêt la tête sans plus rien dire. L'entretien avait duré un peu moins d'une heure et Stanislas, comme souvent, s'était trouvé excellent. En sortant, il y avait juste ce petit détail qui l'avait fait douter un peu. Lorsqu'il avait serré la main du vieux sur le pas de la porte, il n'avait pas pu s'empêcher de lui demander :

– Ai-je bien répondu ?

L'autre avait eu l'air d'abord surpris puis, à nouveau, son sourire apaisant s'était dessiné sur ses lèvres.

– Ce sont vos réponses! Elles sont obligatoirement bonnes, puisque ce sont les vôtres!

Donc, il avait parfaitement répondu! Donc, il était sélectionné! Il était ressorti gonflé à bloc.

Mais ce matin, la lettre. Une fois qu'il eut fait redéfiler tout l'entretien dans sa tête, Stanislas en fut persuadé, c'était cette ordure de psychologue qui l'avait sacqué. Il demeura prostré, son coude baignant toujours dans le café qui séchait sur la table de sa cuisine.

– Salaud! murmura-t-il sans réussir à bouger.

Un téléphone sonna non loin, quelque part.

À la quatrième sonnerie, Saint-Avril comprit que c'était chez lui qu'on appelait. Il se redressa et maladroitement shoota dans le beurrier au pied de la table. Au salon, il décrocha le combiné à la dixième sonnerie.

– Stanou, mon chéri, c'est maman!

– Oui... bonjour, maman... répondit-il machinalement.

– Oh, ça n'a pas l'air d'aller, mon grand.

– Ça va, ne t'inquiète pas.

Depuis l'arrivée de la lettre, il était passé de la surprise à l'incompréhension, puis à la colère, mais à présent, la voix de sa mère au téléphone le plongeait dans la plus profonde tristesse. Cette présence venait de lever la dernière digue à son malheur et

Stanislas sentit les larmes qui montaient. Il sentit aussi qu'il avait besoin de se confier à sa maman.

Sur une petite étagère, au-dessus du meuble du téléphone, trônait la photo encadrée de sa mère. Ce cliché en noir et blanc était assez pratique. Mme de Saint-Avril y posait, souriante, un combiné téléphonique à l'oreille. Stanislas aimait regarder ce portrait lorsqu'il avait sa mère au téléphone, il avait ainsi l'impression de la sentir plus proche et pas seulement de l'entendre. Il renifla un peu plus fort pour qu'elle comprenne bien qu'il pleurait. Il avait tant besoin de son réconfort. Elle saurait le rassurer – il n'en doutait pas – et trouverait les mots justes pour le consoler. Mais, ce matin-là, Mme veuve Léopoldine de Saint-Avril ne perçut pas qu'au bout du fil son fils souhaitait hurler à l'aide.

Elle venait de s'embarquer dans le récit détaillé de sa soirée de la veille et notamment du film policier – justement un policier – qu'elle avait vu à la télé et enregistré à son intention. Elle répéta trois fois qu'elle ne voulait rien lui dévoiler de l'intrigue et de son dénouement, mais au bout de deux minutes Stanislas savait déjà que l'assassin était l'inspecteur censé mener l'enquête. Elle enchaîna directement sur la santé de sa grande amie Viannette et sur la croisière « extraaaaordinaire » que venait de faire son autre grande copine Sylvie, sur le Nil. Sans reprendre son souffle ni laisser Stanislas placer un mot, elle continua sur les nouveaux magasins que, cet après-midi, Viannette, Sylvie et elle allaient hanter, le salon de thé où elles feraient étape, les mignardises à la crème qu'elles y dégusteraient... Elle poursuivit en psalmodiant mille autres projets, abordant mille autres sujets passionnants... Elle passait de l'un à l'autre dans la même phrase avec une adresse déroutante et joyeuse. C'était une sorte de musique gaie et chantante que rien ne pouvait interrompre. Stanislas, qui d'habitude écoutait avec attention et toujours beaucoup de tendresse ce genre de monologue maternel, ce matin-là, n'entendait rien.

Son attention était ailleurs. Même pas sur la photo encadrée. Son regard venait de se poser sur la moquette gris perle de son salon. Son pied droit plein de beurre avait laissé trois grosses taches ovales entre le couloir et le meuble du téléphone. Trois signatures indélébiles, trois balafres sales irrécupérables et insupportables !

Loin, très loin de lui, comme si elle l'avait abandonné, sa « maman chérie », joviale et en pleine forme, étalait les signes de ses petits bonheurs. Et lui, pendant ce temps, se noyait dans une mare glauque (et beurrée) de catastrophes gigantesques. C'en était indécent !

Salopard de psy !

— Alors quand ? fit la voix au téléphone.

— Pardon, maman ? Quand quoi ? bredouilla Stanislas qui n'avait pas bien suivi la fin du propos de sa mère.

– Enfin, mon Stanou, tu rêves ? Je t'ai demandé quand nous pourrions aller dîner dans ce restaurant *L'Eau à la Bouche*, sur le cours des Cinquante ?

Cela faisait probablement un petit moment qu'elle lui parlait de ce nouvel établissement ouvert en ville. Elle lui avait peut-être même détaillé la carte et cité les spécialités du chef. Mme de Saint-Avril adorait tester les restaurants, c'était une marotte à laquelle elle se consacrait avec tant de ferveur qu'elle aurait été capable de rédiger un guide gastronomique des brasseries, des salons de thé et des tables de toute la ville. Lorsqu'elle ne testait pas ces nouveaux endroits avec ses habituelles copines, c'était toujours son « grand garçon » qu'elle invitait à l'accompagner.

– Je t'appelle cet après-midi ou ce soir. Nous fixerons une date ! se contenta de répondre Stanislas.

Depuis qu'il avait repéré les taches sur sa moquette, le jeune homme était resté en équilibre sur son pied gauche afin que sa semelle droite n'aggrave pas les dégâts.

– Tu sais, il va falloir que je te laisse. Je te rappelle, maman ! Promis ! fit-il très solennellement pour donner à sa mère encore une chance de capter son désarroi.

– Ah oui, bien sûr, tu as ton entraînement au stand de tir, mon Stanou... dit-elle simplement.

– Non, j'y vais cet après-midi, mais là, je dois partir ! fit-il gravement. Puis il ajouta d'une voix sépulcrale : C'est très important !

Elle ne releva pas ce ton qu'il avait fait volontairement remonter d'outre-tombe.

Ils raccrochèrent après des « *je t'embrasse* » plusieurs fois répétés.

Stanislas sautilla jusqu'à la banquette du salon et retira sa chaussure tartinée au beurre fondu.

Il se sentait désemparé. Sa mère n'avait même pas cherché à savoir ce qui pouvait être très important pour lui (il pensa qu'il aurait dû dire « c'est très grave », « c'est très important » était une formule trop faible). Et puis, avait-elle oublié qu'il était en arrêt de travail cette semaine, libre pour n'importe quel restaurant, n'importe quand... ? Elle, d'ordinaire si attentive à son grand rejeton chéri, n'avait pas répondu à son attente. Il n'y avait qu'un seul responsable à tout. À la lettre du concours d'entrée, au beurre et aux souillures de son salon, et même à la distraction de sa mère. Un seul coupable !

*

Dans les pages jaunes de son annuaire, Stanislas trouva en quelques instants la rubrique qui l'intéressait. Coincées entre prothésistes dentaires et publicité (agences et conseils), il y avait deux pages de psychiatres, psychanalystes, psychologues, psychomotriciens et psychothérapeutes.

Le vieux salopard s'était présenté à lui l'autre jour au début de l'entretien, mais Stanislas n'arrivait pas à se souvenir exactement de son nom. Par contre il pensait se rappeler que ce nom sonnait étranger, en « ein » ou en « ern ». « Un nom juif », s'était-il d'ailleurs dit en l'entendant et en s'étonnant que le bonhomme n'ait pas un nez plus... typé.

Des noms « d'ailleurs », il y en avait pas mal, chez les psys. C'était plein de K, de Y, de H. Il hésita sur un Goldberg, puis s'arrêta sur un Gluckstein. Il était certain d'avoir trouvé, mais l'abandonna quand il se rendit compte qu'il s'agissait d'une Élisabeth Gluckstein. Son index continua à fouiller les colonnes et stoppa net sur un Joël Steinberg.

Plus le moindre doute, c'était lui, le salopard !

Stanislas nota les coordonnées du vieux en se félicitant pour son indéniable talent de futur enquêteur. S'il en fallait une preuve ou un simple signe tangible, voilà qui confirmait encore qu'il était fait pour cela !

*

Le pistolet automatique était rangé dans le tiroir de la commode de sa chambre. Délicatement, sur le lit, comme on démaillote un bébé, Stanislas déplia l'étoffe de couleur ocre qui protégeait l'arme. Une belle arme, pas trop lourde, mais assez grosse pour tenir en main. Il vérifia le chargeur dans la crosse en noyer gaufré et en attrapa un autre dans le fond du tiroir. Ce n'était pas avec cette arme que Stanislas s'entraînait sur les cibles de son club de tir, mais là, justement, il n'allait pas s'entraîner, et sa cible avait maintenant un nom et une adresse qu'il avait pris soin de glisser dans la poche de son pantalon.

2
Coup de soleil

— Et ces taches, par terre, sur ta moquette, c'est quoi ?!

— C'est rien, maman, c'est rien...

— C'est rien ?! Tu te moques de moi ? Et tout ce bazar, c'est peut-être une illusion d'optique, aussi ? ... Parfois je me dis que tu ne vis pas ici, non, tu campes ! Voilà, c'est tout ce que tu fais dans cette maison... du camping !

— Arrête, maman, t'es lourde, là !

— Je t'interdis de me parler comme ça ! Tu entends ?! Je te l'interdis !

— Excuse-moi, mais là, avoue que tu te prends la tête pour pas grand-chose ! Tu débarques, sans frapper, style « Ouragan sur ma chambre », et baoum, tu commences à m'allumer pour quelques malheureuses taches de Coca sur une moquette qui date d'avant l'invention de l'imprimerie.

– Tu nettoies !

– Je vais essayer de nettoyer !

– Et tu ranges tout ton bazar !

– Je vais ranger... un peu !

– Tu as intérêt !

– Bon, là, t'as rien d'autre à faire ? Tu vas être en retard au boulot, non ?

– Je t'avertis, quand je rentre, je vérifierai !

– T'es pas obligée, tu sais...

– Et pour les taches, du savon et de l'eau, rien d'autre, sinon ça laisse des auréoles.

– Oui, chef !

– Je t'en prie, fais un effort !

Quand sa mère referma la porte, Fabrice poussa un profond soupir et balança un grand coup de pied rageur dans un de ses chaussons qui avait la mauvaise idée de traîner dans les parages (mais il est vrai que *tout* traînait dans les parages autour de lui). Dans un looping d'anthologie, le chausson survola le lit et alla s'écraser en haut de l'étagère sur laquelle s'alignaient quelques livres en équilibre instable. Les quatre tomes des *Extraordinaires Aventures de la conquête spatiale* glissèrent sous le choc et poussèrent vers le bord de l'étagère Dark Vador qui trônait là, tranquille, les bras croisés, dans sa cape noire impeccable. La grosse figurine en plâtre vacilla, sembla hésiter à la lisière de la planche, se décida enfin pour le suicide. Elle se fracassa bruyamment un mètre cinquante plus bas, sur la moquette.

Fabrice observait les restes du héros de *La Guerre des étoiles* quand sa mère, affolée par l'explosion, ouvrit brusquement la porte.

– C'est comme ça que tu ranges ! hurla-t-elle en découvrant le carnage en plâtre.

– Ça va, caporal, je vais passer l'aspirateur ! De toute façon, je ne l'aimais plus, cette horreur ! Bon, tu me laisses ?

– Pas d'aspirateur avec les gros morceaux, ça va boucher le tuyau !

– J'aurai jamais fini si tu me déranges toutes les deux minutes ! Alors, s'il te plaît, tu sors !

*

Il ne faut pas croire, Fabrice Concellis serait peut-être allé chercher une éponge, de l'eau et éventuellement du savon à la cuisine. Il aurait aussi certainement tenté un début de rangement par le vide du capharnaüm qui désespérait tant sa mère. C'est-à-dire qu'il aurait fait un seul tas des revues, livres et bandes dessinées qui jonchaient sa moquette, pour les fourrer dans un grand élan d'efficacité tout au fond de son placard. Qu'il aurait probablement daigné ramasser les trois paires de chaussettes particulièrement odorantes, la tenue de son match de hand de la semaine dernière, les deux sweats et les tee-shirts abandonnés lâchement çà et là, et aurait eu la présence d'esprit de déposer ce ballot dans la panière de linge sale de la buanderie. Une fois entassés les plus volumineux vestiges du Dark Vador explosé, il aurait sans doute traîné l'aspirateur jusqu'à l'impact de plâtre et même jusqu'aux restes de corn flakes et de papiers de bonbons qu'il aurait découverts sous son linge éparpillé. Peut-être même aurait-il poursuivi son effort jusqu'aux jouets et au reste de bazar qui encombrait son antre... Tout cela il l'aurait fait, plus ou moins vite, plus ou moins bien, de plus ou moins bon cœur... Mais, on ne peut pas demander à un garçon de treize ans et demi – plus inquiet des boutons d'acné qui pointent sur ses joues que de l'état de sa chambre – d'avoir la minutie d'une femme de ménage. Oui, Fabrice Concellis était souvent en désaccord avec sa mère (un souvent qui frisait plutôt le perpétuellement), mais il aurait malgré tout rangé et nettoyé... Seulement le téléphone retentit.

En visant sa corbeille à papier, deux mètres plus loin sous son bureau, Fabrice en était à jouer au basket avec les plus gros morceaux de Dark Vador. C'était, à sa manière, le début du grand nettoyage auquel il devait s'atteler...

Le jeune garçon bondit aussitôt, abandonnant à la moquette un bout de bras muni d'un bout de sabre laser et fonça sur le palier pour décrocher à l'étage avant sa mère. Pendant ces vacances de février, l'absence de copains de classe se faisait durement sentir. Ce vendredi matin, l'éventualité d'un appel pour lui passait avant toute chose, et notamment avant un rôle principal de fée du logis.

Il avait bien fait de se ruer sur le téléphone, Benoît appelait pour tromper son ennui. Un ennui qui sonnait parfaitement en harmonie avec celui de Fabrice. Muni du précieux sans-fil, le garçon se replia daredare vers sa chambre pour entamer une discussion tranquille avec son copain. Devant la porte de son antre, il croisa sa mère, en manteau, qui partait au travail.

— J'ai des consultations jusqu'à la fin de la matinée, je serai là vers 13 heures ! lança Mme Concellis à son fils.

— Ouais, je l'ai vu aussi hier soir à la télé, continua Fabrice à l'appareil. Moi, ça faisait un moment que j'avais pigé que c'était le flic, le tueur en série...

— Fabrice ! ! ! insista la mère.

— Attends une seconde, Benoît, j'ai un signal d'appel sur une autre ligne !

En grimaçant, il se retourna vers sa mère.

— Oui ? J'ai entendu, tu seras là à une heure...

— Et d'ici là, tu ranges ta chambre ! Je rentrerai déjeuner avec toi, mais j'aurai très peu de temps. J'ai des consultations en début d'après-midi, puis un rendez-vous chez le coiffeur. Ce soir, avant de rentrer, je ferai quelques courses. J'essaierai aussi de te trouver une chemise blanche pour la cérémonie de demain.

Fabrice n'écoutait déjà plus. Il referma la porte de sa chambre alors que Benoît lui détaillait les nouveaux films sortis en salles le mercredi précédent. Celui-ci proposa une séance au *Katorza* pour le début d'après-midi. Le dernier *James Bond* semblait valoir le coup et un peu de leur argent de poche.

Affalé sur le lit, ses pieds battant un rap imaginaire contre le mur, Fabrice resta au téléphone près de trois quarts d'heure. Benoît et lui passèrent des propos cinématographiques à des considérations sérieuses de spécialistes en Play Station. La dernière version de « Total Envahisseurs » que Benoît avait testée récemment était « méga qualité d'enf. ! » et « arrachait d'onf. ! », il l'assurait sur le ton d'un expert en la matière.

– On pourra y aller après le ciné, ils l'ont mise en démonstration chez *West Game* ! fit Benoît.

– Chuper ! marmonna Fabrice qui venait de découvrir avec plaisir un vieux chamalow coincé entre sa couette et le mur.

Ensuite ils se lancèrent dans des appréciations très profondes au sujet de leurs parents, du collège, du dernier C.D. de Kathy K. Roll et de son groupe, du concert tant attendu de D.J. Escolaver, et même du froid « polaire » et si inhabituel qui s'était abattu sur la ville depuis trois jours.

Si Mme ou M. Concellis avaient traîné dans les parages et entendu leur fils et son copain discuter, ils n'auraient pas compris qu'une conversation si vide puisse occuper à ce point leur rejeton et leur ligne téléphonique. Fabrice et Benoît semblaient ne rien avoir à se raconter. Ils n'avaient pas fait grand-chose de leur première semaine de vacances, ils s'ennuyaient ferme en passant des manettes de leurs jeux vidéo à la télécommande de leurs télévisions, mais pour rien au monde ils n'auraient raccroché. Ce qui peut sembler ennuyeux et interminable pour un adulte a souvent un poids bien différent quand on a treize ou quatorze ans. Parfois les parents oublient...

Au bout de quarante minutes de ces bavardages et de ces silences téléphoniques, Benoît lâcha une information loin d'être négligeable.

– Ah, ouais, j'avais un autre truc à te dire, mais si t'as pas le temps, j't'en cause tout à l'heure au ciné...

– T'inquiète, vas-y, j't'écoute ferme ! J'ai vraiment rien de spécial sur le gril ! répondit Fabrice en lançant un regard las à sa chambre et en jetant au pied de son lit une bande dessinée qui lui rentrait dans le bas du dos depuis un moment.

– Jérôme et sa sœur font une fête samedi après-midi !

– Les jumeaux ?

– Ben oui, une petite fête dans leur grenier, chez eux... demain. Jérôme m'a demandé de te prévenir et de t'inviter au cas où il n'arriverait pas à te joindre. On sera au moins une vingtaine, et pas seulement des élèves de la classe.

– Excellent ! Enfin un plan valable pour terminer cette semaine totale mortelle ! À quelle heure, la fête ?

– Ça commence vers 15 heures, et chacun apporte un truc à boire et à manger !

– Ça le fait, intégral ! marmonna Fabrice en cherchant à récupérer de son majeur une crotte de nez sèche dans sa narine droite.

– Attends, il n'y a pas que ça ! reprit Benoît. Quand Jérôme m'a appelé, Juliette était à côté, et elle a tenu à laisser un message perso pour toi.

– Oui ?

– Garance sera là !

– Oui...

– Ben, c'était ça, le message perso... Elle voulait absolument que je t'annonce que Garance serait de la fête ! Il paraît que tu comprendrais...

– Elle est sympa ! fit Fabrice de la façon la plus évasive.

Il préférait laisser Benoît se demander si c'était à Juliette ou à cette fameuse Garance de 4e B que devait s'appliquer son « sympa ». Mais si Benoît avait été à côté de son camarade à ce moment précis, il n'aurait pas manqué de remarquer le sourire en forme de banane parfaite qui venait d'éclairer tout son visage.

À la simple évocation de Garance, Fabrice s'était transformé. Non seulement il s'était redressé sur son lit et avait abandonné sa spéléologie nasale, mais il avait pris des couleurs. D'étranges et subits coups de soleil venaient de couvrir ses joues et ses oreilles. Visiblement, pour Fabrice Concellis, affirmer qu'il trouvait Garance « une fille sympa » n'était qu'un minimum...

*

Qu'ajouter d'autre de ce glacial vendredi matin de février ?

Que Benoît et Fabrice finirent par raccrocher ?

Que la neige s'annonçait dans l'air mais ne se décidait toujours pas à tomber ?

Que Fabrice oublia le rendez-vous que sa mère lui avait fixé pour le déjeuner puisqu'il avait promis de retrouver Benoît devant le cinéma *Katorza* à 13 heures ?

Tout ceci n'a rien de bien extraordinaire.

Peut-être est-il bon de savoir que, lorsque Fabrice eut enfin raccroché, il délaissa l'état pitoyable et désespérant de sa chambre pour se précipiter à la cuisine. Là, il fouilla un peu partout afin de dénicher dans un livre de recettes celle du gâteau qu'il voulait préparer pour la fête organisée par les jumeaux. Plutôt que de se contenter d'aller acheter un vulgaire cake sous Cellophane au supermarché, il venait de décider qu'il impressionnerait tout le monde en réalisant un exploit culinaire. Tout le monde, et principalement la belle Garance.

Fabrice était comme ça. Parfois il paraissait plongé dans la plus totale léthargie et, brusquement, un projet, une simple idée, devenait obsédant, et le faisait miraculeusement sortir de sa torpeur. Alors, plus rien ne semblait pouvoir l'arrêter. C'était assez épuisant pour ses parents, parce que bien difficile à suivre. Il recopia dans *Pâtisseries de nos régions* la liste des ingrédients nécessaires à la confection d'une tarte Tatin après avoir pris soin de multiplier par quatre les proportions indiquées (autant régaler l'assistance entière). Il vérifia les réserves dans les placards et y mit un souk digne de celui de sa chambre. Il constata qu'il n'aurait à acheter que la pâte brisée et se promit de passer à la supérette du coin en rentrant de son après-midi avec Benoît...

Mais ces détails sont-ils importants ?

Peut-être pour dire que le jeune Fabrice Concellis, amoureux en secret, prêt à faire des prodiges pâtissiers pour « sa » Garance et ses amis, venait de se lancer dans l'une de ses fureurs actives et énergiques et qu'il ne voulait rien laisser au hasard afin de se préparer parfaitement à la situation de samedi ?

Que dire, sinon qu'il avait oublié un détail ?

Et puis, à treize ans et demi, on ne sait pas toujours que le hasard n'a strictement rien à faire des tartes aux pommes, même si on est disposé à les confectionner avec beaucoup d'amour...

3
Coup de maître

À chaque bouchée, il prenait grand soin de
ramasser les miettes de la tarte et de les balancer
dehors, par la vitre. Il avait soif. Il regretta de ne
pas avoir prévu une Thermos de café ou même une
bouteille d'eau minérale. Le froid mordant l'obli-
geait à relancer le moteur de temps en temps afin de
mettre en marche le chauffage de la voiture. Au
bout de cinq minutes il suffoquait sous l'effet de la
ventilation, stoppait le chauffage et avait toujours
aussi soif. À ce petit jeu du chaud et du froid, Stanislas de Saint-Avril finit par s'enrhumer. Il dut se
moucher à plusieurs reprises, jurant, non sur son
sort, mais contre le responsable de son attente. Il se
rassura pourtant, convaincu que les planques et les
attentes interminables étaient le lot habituel et obli-
gatoire des vrais policiers. Toute réflexion faite, il
conclut que cette situation était un parfait exercice

de formation pour lui et ne s'infligea qu'un demi-point en moins pour l'oubli de la Thermos.

Il vérifia l'heure pour la énième fois à la montre du tableau de bord de sa 306 (un cadeau de sa mère pour l'obtention de son permis quatre ans auparavant). 17 h 38. La femme en manteau sombre qui était arrivée tout à l'heure sortit du numéro 21. Elle se dirigea, tête baissée, vers une Twingo verte garée juste devant la voiture de Stanislas, ne leva le nez en direction du ciel qu'au moment de sortir les clefs de son sac. Comme tout le monde à Nantes, elle devait se demander quand la neige se déciderait enfin à tomber. Elle démarra et disparut cent mètres plus loin sur le boulevard de Carquefou, en direction du stade de la Beaujoire. Elle était restée chez le salopard une quarantaine de minutes. C'était dans la norme. Entre une demi-heure et une heure, pas plus, y compris l'attente dans l'antichambre du psy.

Entre l'instant où un client avait poussé la grille de la maison de la rue de la Grange au Loup et celui où il en était ressorti, il ne s'était jamais écoulé plus d'une heure depuis que Stanislas s'était planté là, en début d'après-midi. Les patients du Dr Steinberg venaient en voiture, se garaient sans avoir à chercher de place dans cette petite rue résidentielle et assez peu passante. Une fois traversé le ridicule jardinet, surtout semé de graviers et d'herbes folles, ils sonnaient à l'Interphone, donnaient leur nom et le « sésame » s'ouvrait devant eux.

Qu'est-ce que cette demi-douzaine de tarés (quatre femmes, dont une avec une gamine, et deux hommes) qu'il avait vus défiler chez le psy pouvaient avoir à faire là ? Il fallait vraiment être pas mal déjanté pour venir se déverser la vie sur les chaussures de ce vieux « schnock-berg ». Raconter ses rêves et ses cauchemars, déballer ses fantasmes, vomir son existence, sans la moindre pudeur, pendant une demi-heure, et, pour couronner le tableau, payer, et pas des clopinettes, à ce qu'on lui avait dit. Tous des dingues ! Et puis, l'autre, le salaud, il devait être particulièrement vicieux pour faire un métier pareil. Écouter des histoires de famille, de sexe, de boulot, toute une foultitude de déblatérages malsains, et s'en délecter. Tu parles d'un toubib ! Une espèce de mélange de curé et de gourou, oui !

Et c'était à ce genre de type qu'il devait le refus de son admission en formation ? Ordure ! Steinberg avait intérêt à lui rectifier le compte rendu qu'il avait dû rédiger après leur entretien ou alors il allait passer un sale quart d'heure !

La nuit était déjà tombée, la neige, toujours pas. Les voitures étaient un peu plus nombreuses rue de la Grange au Loup, les gens rentraient du boulot dans leur pavillon de ce quartier au nord-est de Nantes. Le client de 18 heures arriva à 17 h 53. La cliente précédente sortit à 18 h 12. À la demie, il n'était toujours arrivé personne d'autre. Stanislas en déduisit que les visites tiraient à leur fin. Le rhume montait à sa gorge et à ses sinus. Il attendit encore, en reniflant de plus en plus, la sortie du dernier client. Quand il le vit enfin pousser le portail du jardinet, il se décida à passer à l'action. Après tout, lui, Stanislas de Saint-Avril, n'était pas un « pinailleur de tête », un « branleur d'idées » ou un « disséqueur de rêves », mais un homme, un vrai, un homme d'action. Il enfila ses gants en cuir avant de quitter son véhicule.

À l'Interphone, quand il sonna, il entendit la voix de Steinberg demander :

– Oui... ?

Il se remémora immédiatement ce *oui* particulier et traînant qu'il avait déjà entendu pendant l'entretien.

Stanislas avait prévu le coup. Il avait eu largement le temps de préparer ses arguments durant ses longues heures d'attente.

– Police, monsieur Steinberg ! Pouvez-vous m'accorder quelques instants ? dit-il de la voix la plus aimable en retenant un nouvel éternuement.

– La police ?... Oui ?

Bon sang, c'était le seul mot que ce type savait dire ? Trois interminables secondes de silence suivirent.

– Montez, j'ai terminé ma journée ! nasilla l'autre dans le petit haut-parleur du boîtier.

La porte s'ouvrit dans un claquement de pêne électrique.

Stanislas de Saint-Avril entra.

Banco !

*

En bas, il n'y avait qu'un couloir et trois portes fermées. Sur deux d'entre elles, des plaques adhésives indiquaient PRIVÉ, la troisième ouvrait sur des toilettes. Stanislas grimpa les marches et, malgré sa détermination, se sentit intimidé quand il arriva sur le palier du premier étage. Tout semblait si calme et si harmonieux dans cette lumière légèrement tamisée. Quelques reproductions de peintures abstraites étaient encadrées aux murs, un gros bouquet de fleurs séchées éclatait d'une grosse jarre en haut de l'escalier. Au-dessus, un carillon océanien fait de morceaux de bois flotté pendait du plafond. La porte vitrée de la salle d'attente était entrouverte. N'osant pas frapper à l'autre – sans aucun doute celle du bureau de Steinberg –, Stanislas pénétra dans la pièce meublée de trois fauteuils et d'une table basse encombrée de revues rangées en trois piles parallèles.

Joël Steinberg
médecin psychiatre
consultations sur rendez-vous
18, rue de la Grange au Loup, 44300 Nantes
02 51 75 23 05

Une dizaine de cartes de visite étaient posées dans une petite boîte sur la table basse, il en attrapa une qu'il fourra dans sa poche.

Il choisit le siège le plus proche de la fenêtre, à l'autre bout de la pièce, pour faire face au psy quand il viendrait le chercher. Faute de mouchoir, il éternua dans ses gants et s'essuya sur les bords du fauteuil. Dans la nuit, il détailla le jardin derrière la maison, il crut distinguer un puits. Maintenant il reniflait et cela le gênait de se présenter ainsi devant Steinberg. Il s'efforça de contrôler l'éternuement suivant qui montait et bloqua sa respiration. Malgré ses efforts, il partit dans une série d'éternuements puissants et chargés qu'il tenta d'étouffer dans ses paumes.

– À vos souhaits !

Les gants collants de morve, Stanislas sursauta. Le psy était planté à l'entrée de la salle d'attente. Il l'avait surpris, exactement ce que Saint-Avril voulait éviter. Stanislas se redressa rapidement, les paumes écartées le plus loin possible de son imperméable. L'autre lui tendait la main, mais comment la lui serrer avec ses gants souillés ?

– Suivez-moi dans mon bureau, je vais vous passer des mouchoirs en papier, invita Steinberg en le précédant sur le palier.

Debout, le psy avait pris place derrière son immense bureau, une table de ferme en chêne foncé installée devant deux gros fauteuils au cuir un peu élimé. Sur le côté contre le mur, à droite de l'entrée, se trouvait le divan recouvert d'une lirette de laine multicolore. La boîte de mouchoirs était posée sur un petit guéridon à côté de l'un des deux fauteuils.

– C'est pour quand vous faites pleurer vos clients ? railla Stanislas en attrapant plusieurs mouchoirs à la fois.

– C'est aussi pour quand je les enrhume ! fit Steinberg assez sèchement en arborant un léger sourire. Vous êtes donc de la police ? C'est bien ça ? Il me semble que nous nous sommes déjà vus, non ?

– Vous ne vous souvenez pas de moi ?

Stanislas était sincèrement vexé que le type l'ait aussi vite gommé de sa mémoire.

– Je plaisante, voyons ! Vous avez passé tout l'après-midi sous ma fenêtre, dans votre voiture ! fit Steinberg en désignant la rue de la Grange au Loup derrière lui. J'ai eu le temps de me rappeler dans quelles circonstances nous nous étions rencontrés...

Stanislas, qui s'était imaginé taupe invisible pendant ses quatre heures de surveillance, encaissa le coup en ravalant un peu de morve.

– Moi, je ne suis pas là pour plaisanter ! assena-t-il d'une voix glaciale.

– Alors comme cela, vous êtes dans la police ? Quand j'ai fait votre connaissance, vous souhaitiez commencer une formation... Vous avez déjà passé tous les examens ? On peut dire que vous avez fait des prodiges de rapidité ! Vous êtes un cas rare, unique, même !

Le vieux salopard se foutait de lui. Son ton de plaisanterie était une insulte. Il fallait contre-attaquer rapidement.

Les hasards sont assassins

— Je veux savoir ce que vous avez bavé dans votre compte rendu après notre entretien ! On m'a refusé l'entrée en formation !

— Voyons, vous pensez bien que mon rapport est confidentiel, fit calmement Steinberg.

— Rien à foutre ! Je suis certain que mes notes étaient excellentes dans toutes les matières. Il n'y a que vous et votre appréciation qui ayez pu me faire plonger !

— Moi, ou vous, monsieur de Saint-Avril ? demanda, toujours aussi calmement, le psychologue assis derrière son bureau.

— Écoutez-moi bien, espèce de connard ! Je veux entrer dans la police ! C'est pas seulement un rêve, c'est ma voie, mon destin ! C'est aussi une promesse que j'ai faite à mon père sur son lit de mort !

— Au fond, vous êtes un homme très sensible, commença Steinberg.

Ne sachant s'il s'agissait d'un compliment ou d'un nouveau trait d'ironie, Stanislas se contenta de hausser les épaules.

— Maintenant, je vais tout de même vous dire une petite chose, jeune homme. À moi, le praticien, on demande de sélectionner les candidats pour la formation. Je dois faire le tri entre ceux qui seront capables de plonger dans la réalité la plus crue de notre société, et les rêveurs, comme vous, qui s'imaginent qu'ils vont tenir, à peu de chose près, le même rôle que leurs acteurs préférés dans les séries télé dont ils se gavent ! Je dois jauger entre les candidats qui ont ce qu'on peut appeler rapidement la « fibre » et...

— Je l'ai, la « fibre » ! Je l'ai ! le coupa net Stanislas.

— La fibre textile de l'uniforme ? Certainement ! À un point rare, même ! reprit le psy avec malice. Mais, voyez-vous, je ne pense pas qu'on se lance dans ce genre de carrière pour faire plaisir à sa maman ou pour honorer la mémoire de son père ! En jeu, il y a plus important, plus concret, votre vie, mais également celle de vos concitoyens. Je vous ai jugé trop imbu de votre personne, trop fragile aussi ! Je me demande même si votre prétendue... disons... aspiration policière, n'est pas tout simplement votre moyen de refouler le « côté crime », je veux dire l'attirance que vous nourrissez pour *l'Interdit*.

— Quoi ? !

— Ne vous inquiétez pas, il y a beaucoup de comportements semblables. Chez les éducateurs, chez les enseignants, les assistants sociaux et bien entendu chez les psys, pas seulement chez les flics... Je pense que pour vous, cela atteint des proportions assez rares !

— Vous êtes malade ! D'écouter les dingues, ça vous a bouffé les cellules !

Stanislas avait posé ses deux mains à plat sur le bureau de Steinberg. Son visage au nez écarlate était à quelques centimètres de celui de son interlocuteur.

— Votre présence ici, ce soir, ne fait que confirmer mon diagnostic et mes hypothèses, monsieur de Saint-Avril !

— Écoute, vieux débris, je veux que tu fermes ta grande gueule et que tu rectifies immédiatement ton rapport sur mon compte ! T'entends ! Faut que tu m'arranges le coup ! Tu faxes, tu téléphones, tu te bouges le cul, tu déplaces les montagnes... mais tu me changes la donne ! Tu piges, pauvre type !? File-moi les notes de ton rapport !

Stanislas était hors de lui. La table massive trembla sous les coups de poing qui rythmèrent ses paroles.

— Ce sont d'étranges méthodes pour un policier, vous ne trouvez pas ?

Dans son élan de colère, Stanislas saisit le col de Steinberg. Il attrapa sa cravate par le nœud. L'autre, étranglé, décolla de son fauteuil, tentant maladroitement de se dégager de cette étreinte qui l'étouffait.

— Je vais te tuer ! T'entends, je vais te crever ! fit le jeune homme en rage.

— Ce serait assez sympathique de votre part... Un vrai service... réussit-il à articuler au bout de sa cravate de pendu.

Surpris par ce qu'il venait d'entendre, Stanislas desserra légèrement sa prise. L'autre le bluffait peut-être pour échapper à sa fureur.

— Tu veux me faire croire que t'as pas peur de moi ?

Sans vraiment s'en rendre compte, le jeune homme avait relâché sa victime.

– Peur de vous ? Non, pas une seconde ! Peur de mourir ? Pas davantage. Il y a cinq ans que je n'ai peur que d'une seule chose... que la mort m'oublie !

– Taré ! cracha Stanislas avec dégoût.

Steinberg prit une profonde respiration avant de s'expliquer.

– Voyez-vous, monsieur de Saint-Avril, hier était un anniversaire pour moi. Ma femme et mes deux enfants sont morts voilà exactement cinq ans. Une plaque de verglas dans un virage, cela a fait vingt lignes dans le journal et un abîme dans mon existence. J'ai cinquante-huit ans à présent et depuis, vous me croirez ou pas, je survis, je végète. Je fais croire que j'existe, c'est de l'illusion. Je ne suis qu'une ombre, incapable de vivre le deuil de mes fils et de ma femme. Je donne des conseils à mes patients, je les aide, les soutiens, les bouscule... mais moi... je suis impuissant à régler mon propre drame. Je n'arrive pas... je ne veux pas apaiser ce deuil... Je... Je ne pense pas que vous puissiez comprendre... Juste ceci... la voiture... c'est moi qui conduisais... !

Le psy reprit sa place dans son fauteuil, plus exactement, il s'y effondra. Il semblait épuisé par ce qu'il venait de dire. Il se massait encore le cou lorsque Stanislas se moqua de lui.

– Je n'en crois pas un mot ! Tu mens pour sauver ta peau de vieille raclure !

– Je viens de le dire, vous ne pouvez pas comprendre. Mais peu m'importe de vous convaincre !

Voyez-vous, je ne pensais pas que la mort viendrait ainsi, sous votre allure de jeune orgueilleux croyant posséder le monde, juste parce que sa maman lui a dit qu'il était son gros bébé chéri pour toujours, parce que les filles le trouvent mignon, parce qu'il sait reconnaître les bandes de petits beurs qui risquent de piquer des cédéroms de jeux au rayon vidéo de son supermarché, parce que... que sais-je encore ?

— Ferme-la !

— Mais je bénis le hasard qui vous amène chez moi le lendemain d'un tel anniversaire... Réfléchissez : me tuer, c'est peut-être pour vous le seul moyen d'avoir affaire avec la police ! fit Steinberg avec une assurance qui inquiéta Stanislas.

— Vous voulez me faire peur, me pousser à bout ? !

— Mais moi je ne veux rien de vous ! Seulement, vous me proposez d'être malhonnête, et je dis non ! Vous en savez déjà plus sur mon rapport que vous ne devriez ! Maintenant, vous m'offrez de mourir, je suis preneur, monsieur de Saint-Avril ! Preneur, vous entendez ? J'achète ! Voulez-vous que je paie ? À quoi bon ? Je suppose que si vous m'étranglez, vous n'hésiterez pas à fouiller dans mes tiroirs et mes placards pour dénicher l'argent des consultations d'aujourd'hui, un peu d'argenterie, quelques bibelots. Cela pourra toujours faire passer ma mort pour un crime de rôdeur et songez qu'on n'a aucune raison de vous soupçonner. Je vous précise qu'ici ce n'est pas mon appartement mais juste un cabinet. Pour la télé, la chaîne stéréo, le magnétoscope, il faudra viser ailleurs... enfin, bref, je vous attends ! Allons, courage, ce ne sera pas vraiment un meurtre, plutôt un suicide perpétré par votre intermédiaire.

À cet instant précis, Stanislas sut que jamais de sa vie il n'avait détesté quelqu'un avec une telle force. Mais le jeune homme sentit en même temps que non seulement Joël Steinberg ne le menait pas en bateau, mais qu'au contraire il attendait impatiemment la mort. Et c'est lui, Stanislas de Saint-Avril, qui avait peur de sa victime ! Ne pas tuer ce vieux salopard, c'était le laisser pourrir dans son malheur. Il pensa cela et songea à déguerpir. Steinberg le sentit peut-être, comme pour l'énerver davantage, il ajouta :

– Vous êtes un petit con malfaisant et j'ai plus de respect pour la police que vous n'en aurez jamais ! Pour votre examen, il faudra vous présenter à une nouvelle session... dans une autre vie !

– Ferme ta gueule ! hurla Stanislas en tremblant.

– Je n'ai rien à faire de vos menaces, rien à faire de vos hurlements, de...

– Et ça, t'en as quelque chose à faire...

Le pistolet automatique jaillit de la poche de l'imperméable. Avec une arme, Stanislas ne tremblait jamais, il n'avait pas peur, il obtenait le silence et le respect, même son rhume sembla s'être mis en veilleuse. Sa passion pour la police résidait peut-être justement en cet instant où il exhibait son cher Smith et Wesson.

– Rien à faire de votre petit zizi en acier trempé ! osa Joël Steinberg.

C'est tout ce qu'il put oser. La première balle lui sectionna la gorge. La balle suivante alla se loger en plein thorax et le fit rebondir sur son siège pivotant. Une troisième et dernière balle, tout à fait inutile, lui fit éclater l'oreille et une partie du visage, lui dessinant un sourire trop grand et sanguinolent.

*

Stanislas était venu chez Steinberg par dépit, rancœur et colère, pour menacer, faire peur et mal ; pas pour tuer. Malgré son arme, il n'avait pas pensé tirer. Son pistolet, il l'avait pris pour ne pas paraître nu devant un homme dont l'assurance l'impressionnait. Pourtant, le jeune homme ressentit un véritable bonheur en voyant s'écrouler Steinberg. Jamais les cibles, même les mannequins assez réalistes du stand de tir, ne lui avaient procuré pareille jouissance. Le meurtrier aurait pu se sentir désemparé par son geste, au contraire, il eut tout à coup le sentiment d'être absolument invincible. Rien ne pouvait l'atteindre en cet instant, alors qu'il observait le cadavre au visage décharné qui lui faisait face de l'autre côté du bureau. Pour Stanislas, ce n'était plus un homme, mais une marionnette désarticulée, mal posée sur son fauteuil en cuir. Et puis, le psy l'avait dit, c'était un service, pas vraiment un meurtre. Stanislas pensa avec une légère touche de regret qu'il aurait peut-être dû exiger de sa victime qu'elle rédige une lettre avant de se faire tuer. Il y songea sérieusement, sans saisir l'ironie d'une telle idée. Trouvant même que cette lettre aurait été le signe d'une grande classe. Maintenant, il était trop tard et impossible de tout effacer. Trop de taches de sang constellaient les murs et la moquette autour du bureau. Et d'ailleurs, à quoi bon nettoyer ? Il n'avait laissé aucune empreinte depuis son entrée dans le cabinet. Il n'était pas un patient de Steinberg et il n'y avait aucune raison qu'on remonte jusqu'à lui.

Il écarta légèrement le rideau pour jeter un œil dans la rue de la Grange au Loup. Les trois coups de feu ne semblaient avoir alerté personne dans les parages. Ils avaient résonné comme une porte qui claque et les maisons alentour étaient assez éloignées au fond de leurs jardins. Pour plus de tranquillité, il fit descendre le store roulant sur la fenêtre et décrocha le combiné du téléphone. Peinard, insoupçonnable, parfait ! Lui, Stanislas de Saint-Avril, le futur flic de génie, allait construire là un crime parfait. Un crime absolument impossible à dénouer. N'était-ce pas cela, le Grand Art ?

Il déplaça le fauteuil à roulettes et le corps afin de dégager les tiroirs du bureau. Dans le premier, il ne trouva qu'un gros bloc griffonné de notes illisibles. Il s'agissait certainement des observations de Steinberg pendant ses consultations. Il songea malgré lui à ce que le psy avait dit. « Orgueilleux et imaginant diriger le monde. » Pour un peu, il aurait giflé le cadavre de ce salopard. « Attiré par le côté obscur du crime. » N'importe quoi ! On se serait cru en plein épisode de *La Guerre des étoiles*. Il balança le bloc de feuilles à travers la pièce, celui-ci s'ouvrit contre le mur du fond et quelques feuilles voletèrent en retombant.

Dans le second tiroir, Stanislas rafla tous les billets qu'il trouva et les glissa rapidement dans son portefeuille. Là encore, il repensa aux paroles de Steinberg. Le vieux ne lui avait-il pas prédit qu'il ne pourrait s'empêcher de se transformer en petit malfrat ? Qu'importe ! Cette ordure ne prédirait plus rien. Stanislas se représenterait au prochain concours d'entrée à l'École de police. À vingt-trois ans, il avait encore le temps. La vie entière. Il serait un jour l'inspecteur hors pair – non, l'illustre commissaire de Saint-Avril – qu'il voulait devenir. Il mènerait une carrière exceptionnelle. On parlerait de lui dans les journaux pour le citer en exemple, on l'interviewerait à la télé et il saurait rassasier les journalistes en leur accordant des informations triées et de seconde importance. Il saurait calculer ses effets, faire durer les suspenses. Et enfin, lorsqu'il serait vieux, il rédigerait ses Mémoires – un best-seller, bien entendu –, il y raconterait en détail ses meilleures enquêtes, ses triomphes les plus éclatants.

Voilà! La vie allait être belle et la mort de cette raclure de Steinberg marquait aujourd'hui sa nouvelle naissance. La carrière d'un policier qui débute par une « espèce » d'assassinat – à cet instant de sa réflexion, Stanislas ne pensait vraiment pas avoir commis un crime – ne pouvait être que remarquable. Car Stanislas, ce soir-là, comme dans tous les autres instants de sa vie, ne doutait pas une seule seconde d'être quelqu'un d'absolument unique.

Il inspecta la maison de sa victime. Cela ne lui prit pas plus d'une vingtaine de minutes, mais lui permit de peaufiner son chef-d'œuvre de crime parfait.

La salle d'attente et le bureau occupaient la totalité du premier étage, et au rez-de-chaussée, derrière les portes sur lesquelles était inscrit :

```
PRIVÉ
```

il visita un salon-bibliothèque assez spacieux aménagé en chambre dans un coin, et une petite cuisine au confort très rudimentaire. Une gazinière collée au bloc-évier, un vieux vaisselier dans lequel il ne trouva que quelques ustensiles de cuisine et bien peu de vaisselle ainsi qu'une table en Formica jaune sur laquelle trônait une cafetière électrique programmable.

La voiture de Steinberg, une Mégane bleu azur, était garée dans le garage au rez-de-chaussée.

Quelques outils prenaient la poussière et la rouille sur les grossières étagères en acier contre les murs, quelques gros cartons de livres et des classeurs de notes occupaient tout le fond de la pièce.

Son esprit – génial, bien entendu génial – turbinait à toute allure. Il ramassa le tuyau d'arrosage sur la terrasse qui ouvrait sur le jardin et le déposa à côté de la voiture avant de remonter dans le bureau pour chercher les clefs de celle-ci. Il fouilla un peu partout pour finir par dénicher le trousseau dans la poche de veste du cadavre. Avec dégoût, il constata que le porte-clefs du psy représentait une étoile de David à six branches. Il ne s'était pas trompé sur les origines de sa victime. Par contre, toucher, manipuler le corps défiguré et déjà froid du psy ne lui fit strictement rien (n'était-ce pas une preuve supplémentaire qu'il avait la *fibre*, puisqu'il ne se laissait nullement impressionner par la mort?). Pour Stanislas, Joël Steinberg n'était plus un homme, juste un nécessaire accessoire de l'œuvre qu'il était en train de créer. Car Saint-Avril aurait pu déguerpir, rien ne l'accusait, mais il ourdissait déjà une véritable mise en scène.

Au garage, après avoir déverrouillé le réservoir de la Mégane, il siphonna une bonne trentaine de litres d'essence qu'il fit couler sur le sol. Les vapeurs de carburant étaient suffocantes quand il remonta chercher le corps de sa victime au premier. Il le fit descendre – dégringoler plutôt – au rez-de-chaussée et cela ne lui posa aucun problème. S'il prit soin d'envelopper le visage de Steinberg dans un morceau de rideau arraché dans le bureau, ce ne fut pas par répulsion, mais simplement pour éviter de souiller de sang son imperméable. Il déposa Steinberg bien au milieu de la flaque d'essence et ajouta près du cadavre trois bombes d'insecticide inflammable qu'il dénicha sur les étagères du garage. Enfin, il retourna à la cuisine afin de programmer la mise en route de la cafetière électrique pour un quart d'heure plus tard. Ensuite, il fit un dernier tour des lieux et éteignit toutes les lumières. Il ne s'était pas écoulé plus d'une demi-heure entre son crime et le moment où il ouvrit en grand les quatre robinets de la gazinière. Dans la cuisine plongée dans la pénombre, le gaz se mit à siffler tel un serpent.

Il restait au jeune homme bien assez de temps pour sortir, reprendre sa voiture et filer loin avant que l'allumage de la cafetière déclenche l'explosion et l'incendie. Stanislas se sentait épuisé et fier. Il venait de concevoir un véritable coup de maître. Il refusa de s'avouer qu'il n'avait fait que répéter grossièrement les gestes et un plan piqués dans un mauvais téléfilm vu quinze jours plus tôt. Ses futurs collègues de la police se casseraient les dents sur cet « accident criminel ». Pas une trace, pas une preuve, pas un mobile... rien que les miettes d'un corps et d'une maison éparpillées dans une nuit glacée de février.

Il neigeait abondamment lorsque, tel un promeneur un peu pressé, il regagna sa voiture. Stanislas prit cela pour une bénédiction du ciel. Tout commençait à être blanc autour de lui. Lui aussi serait blanc comme neige dans cette affaire. Seulement le moteur de sa 306 refusa de répondre aux tentatives de sa clef... Il s'y reprit à plusieurs fois au risque de le noyer. Les minutes filaient à toute allure, la neige obstruait le pare-brise, il se mit à transpirer à grosses gouttes en reniflant et en jurant. Il aurait pu déguerpir à pied, mais il fallait absolument qu'il vire cette foutue bagnole des environs de la maison ! Absolument !

Il finit par lancer le moteur trois minutes à peine avant l'instant fatidique. Les balais de l'essuie-glace lui dégagèrent la vue, les phares illuminèrent la chaussée, et il s'éloigna en patinant à peine vers une vie qui allait être merveilleuse.

Lorsqu'il atteignit le bout de la rue de la Grange au Loup, l'explosion déchira la nuit dans son rétroviseur, deux cents mètres derrière lui. Il songea à quel point il était génial, à quel point il s'adorait. Nul doute que s'il avait pu le faire, il se serait embrassé.

— *Parfaitement, Steinberg, je possède le monde !* murmura-t-il en éternuant et en s'engouffrant tranquillement dans le trafic.

Il abandonna la grande masse sombre du stade de la Beaujoire sur sa droite et, triomphal, gagna le centre de la ville.

4
Coup de feu

La fumée rendait l'air irrespirable. Trop à l'étroit dans la cuisine, elle commença à s'attaquer au couloir et au rez-de-chaussée. Difficile de définir l'odeur qui se laissait porter par cette fumée conquérante. Un savant mélange de caramel et de plastique. Suffocante.

L'ouverture soudaine de la porte d'entrée produisit un appel d'air qui permit au nuage âcre – et déjà assez dense – de progresser davantage. La fumée partit à l'assaut de la salle à manger et commença à investir la cage de l'escalier.

– Le feu ! cria simplement Mme Concellis en reculant aussitôt sur le perron recouvert de neige.

La panique soudaine qui s'empara d'elle fit défiler à toute allure dans sa tête une somme de gestes à faire et de choses à ne surtout pas faire.

Entrer ! Prendre sa respiration !

Non !

D'abord prendre sa respiration, entrer ensuite !

Ouvrir les fenêtres ? À moins que cela n'attise le feu davantage !

Les pompiers ? Les voisins !

Prévenir les pompiers pour qu'ils appellent les voisins !

Non ! Dans l'autre sens, sonner chez les voisins pour qu'ils appellent les pompiers !

Ma mise en plis ! C'est bien la peine d'être allée passer deux heures chez la coiffeuse...

Fabrice ? Fabrice ! ! !

Fabrice est peut-être à l'intérieur ? Fabrice est à l'intérieur !

Entrer ! Entrer absolument ! ! !

Elle se débarrassa de son sac à main et du paquet contenant la chemise neuve sur le perron enneigé. Elle prit une respiration digne d'un plongeur prêt à battre un record en apnée, ouvrit la porte et se précipita dans la maison.

La traversée du couloir ne posa pas autant de difficultés qu'elle le pensait. La fumée n'avait – pour le moment – marqué son territoire qu'au rez-de-chaussée. Elle n'était pas encore totalement maîtresse des lieux et se contentait de dévorer les plafonds.

– Fabrice ! Fabrice ? hurla Mme Concellis affolée, en s'approchant de la cuisine.

Ici, la fumée était beaucoup plus épaisse. Avec effroi, elle chercha des yeux le corps de son fils. Il avait dû s'évanouir, asphyxié dans cette purée qui donnait à la pièce un air de territoire irréel. La mère de Fabrice aurait pu s'imaginer dans une de ces scènes de films d'horreur pour lesquelles le réalisateur a demandé à son assistant d'y aller à fond sur les fumigènes, histoire de créer l'ambiance. Hélas, ce soir-là, Mme Concellis n'était ni au cinéma ni devant sa télé. Chargée de particules microscopiques et noires, vorace, la fumée attaquait la mise en plis, s'insinuait dans sa gorge et déclenchait déjà des sanglots.

Son écharpe en laine lui protégeant la bouche, la mère de Fabrice avança au jugé dans la cuisine. La source du drame se trouvait là. Pas le moindre signe de la présence de son fils. Retirant son écharpe, elle appela encore et encore, avala trop de fumée, toussa et cracha. Elle se cogna contre le coin de la table et fit valdinguer une chaise sur son passage. Elle arriva épuisée à côté du bloc-évier et découvrit, juste devant elle, la poêle sur la gazinière allumée. Des flammes de cinquante centimètres dansaient au milieu de l'ustensile et tentaient de s'en échapper. Le manche avait commencé à fondre, il avait la forme d'une espèce de vilaine virgule molle tombant en flaque sur l'émail de la gazinière. Mme Concellis attrapa vivement la nappe sur la table de la cuisine, faisant exploser sur le carrelage le compotier de fruits. Elle utilisa le linge pour éteindre le bouton brûlant du gaz, puis, toujours avec la nappe sacrifiée, saisit la poêle par les bords,

en poussant un cri de douleur sous l'effet de la brû-
lure. Elle réussit enfin à balancer la poêle dans
l'évier avant de tourner au maximum le robinet
d'eau froide. La chorégraphie des flammes s'étouffa aussitôt.

– Fabrice!!! appela-t-elle encore en crachant
ses poumons.

Elle venait d'ouvrir en grand la fenêtre au-dessus
de l'évier. L'air glacé la gifla violemment, mais la
fumée, trop heureuse de cette aubaine, s'engouffra
dans le jardin pour aller se mêler aux flocons de
neige qui persévéraient dehors.

Respirer! Prendre des réserves et foncer à
l'étage!

Non, d'abord appeler les pompiers! Le 17 ou
le 15?

Non, avant tout, trouver Fabrice!

Il devait être en haut, dans sa chambre. Elle
laissa l'eau noyer le mélange carbonisé qui faisait
un petit tas dans la poêle éteinte et s'élança vers
l'escalier. C'est là qu'elle aperçut son fils.

– Oh, dis donc! Tu nous mijotes quoi, comme
repas, ce soir? Charbon de bois au plastique
cramé? fit-il en découvrant sa mère, transpirante et
affolée devant lui.

– Fabrice!? dit-elle, comme si elle le retrouvait
après une longue absence. Qu'est-ce que tu as
fabriqué dans la cuisine? Fabrice, tu as failli faire...

– Moi? Mais je n'ai...! Oh, merde, les pommes!
J'étais parti aux toilettes et je suis resté à bou-

quiner ! J'ai peut-être un peu oublié les pommes dans la poêle !

– Tu as... failli... brûler... la maison... et toi avec ! haleta Mme Concellis en se laissant tomber sur une marche de l'escalier.

– Faut toujours que t'exagères ! Je me suis absenté à peine dix minutes, un quart d'heure peut-être... pas plus...

– Fabrice, je t'en prie ! cracha-t-elle en essayant de calmer son souffle.

– Quoi, « Fabrice, je t'en prie » ? Ouais, bon, pas plus de vingt minutes !

– Fabrice ! ! !

Il marchandait. Elle espérait une excuse ou du moins quelque chose qui murmure : *Maman, je suis désolé... Maman, est-ce que ça va maintenant ?* et lui, il ergotait sur les minutes. Qu'est-ce qu'elle en avait à faire maintenant des minutes, Mme Concellis ? Car même si elle n'avait été victime que d'un accident domestique, elle avait cru plonger en Enfer pour tirer son fils des griffes d'un Cerbère fumant, et tutoyer la fin du monde – car perdre Fabrice, c'était se condamner à vivre la fin du monde. Entendu, tout allait bien. Entendu, elle allait vivre puisque son fils était vivant. Entendu, tout cela, mais...

– Fabrice... tu... ?

Elle ne put en dire davantage. Le bout de ses doigts lui faisait mal, sa gorge était en feu, ses yeux avaient doublé de volume, sa séance chez la coiffeuse était anéantie, mais qu'importent ces dommages, elle avait du pardon à revendre. Il aurait suffi que Fabrice ait un geste délicat, qu'il s'assoie à côté d'elle sur les marches, qu'il bafouille un maladroit « pardonne-moi » pour que tout à coup l'atmosphère soit douce dans ce rez-de-chaussée encore trop enfumé.

– J'ai eu si peur ! murmura-t-elle simplement.

Mais Fabrice gardait son air grave, tel un fauve prêt à mordre. Il ne voyait rien sinon que sa tarte Tatin était mal partie. Il avait utilisé la réserve de pommes, et les pâtes à tarte surgelées achetées tout à l'heure en quittant Benoît avaient peut-être souffert dans la cuisine. Quel dommage s'il devait abandonner son projet culinaire pour demain ! Oui, ça, c'était vraiment catastrophique ! Et voilà que sa mère commençait à pleurnicher. La fumée ou la tristesse ? Il vota pour la fumée et lança d'une voix trop dure :

– Oh, maman, arrête ton char, je vais la nettoyer, ta cuisine !

– « Ma » cuisine ? ! Parce que la cuisine de cette maison, c'est obligatoirement « ma » cuisine ? ! fit Mme Concellis, toujours prostrée sur son escalier.

– Oui. Et pour une fois que j'essaie de prendre une initiative, t'es pas obligée de me culpabiliser ! J'ai plutôt besoin d'aide pour mes pâtisseries, et toi tu commences à...

À court d'arguments, pas de mauvaise foi, le garçon laissa ses mots planer en suspension avec les volutes du brouillard qui se dissipait enfin.

– Mais... je...

Il avait mal voté. C'était de la tristesse, une profonde tristesse qu'elle ne savait pas lui traduire.

– C'est juste un peu de fumée, quoi ! C'est pas la fin du monde ! J'y vais !

Il descendit les trois dernières marches de l'escalier pour filer dans la cuisine. L'air y était à présent glacial, mais beaucoup plus supportable. La fumée avait préféré se faire piéger dehors par la fenêtre grande ouverte que de continuer son tour du propriétaire.

Dans le bac de l'évier, les restes de sucre caramélisé et de pommes en morceaux avaient des allures de charbon de bois. Ils flottaient au-dessus de la poêle noyée et d'un coin de la nappe. Fabrice ferma le robinet et fourra la nappe en tas sur la paillasse. Il regarda autour de lui. Sa mère était appuyée contre le chambranle de la porte quand il termina sa rapide inspection de la pièce.

– Bon, ben voilà, tu vois... Y a rien de bien grave !

Il marchait dans les tessons du compotier qu'elle avait cassé et ne s'en rendait pas compte. À côté du verre semé, deux pâtes à tarte encore dans leurs enveloppes de Cellophane avaient roulé au bas du lave-vaisselle. Il ne les vit pas davantage. Mme Concellis ne savait plus quoi dire. Elle avait envie de hurler et en même temps de le prendre dans ses bras. Elle se contenta de déclarer d'une voix aphone qui s'efforçait, tant bien que mal, d'être douce :

— Je t'ai acheté une belle chemise pour demain ! Je pense qu'elle t'ira très bien, mais il faudrait que tu l'essaies. Avec ton pantalon noir et ta veste en laine, tu seras très séduisant !

Fabrice leva brusquement ses yeux sur sa mère. Un regard d'incompréhension totale.

— Demain ? De quoi tu me causes ? Je ne t'ai pas encore parlé de la fête chez les jumeaux ? Si ? Non, je crois pas !... De toute façon, je n'irai pas là-bas sapé comme un pingouin !

— Demain... demain après-midi, fit-elle le plus calmement possible, nous sommes au Croisic, pour le mariage de Muriel !

En soufflant, elle ne put s'empêcher d'ajouter :

— Tu n'avais pas oublié, quand même ! ?

C'est à cet instant, et seulement à cet instant depuis que sa mère était rentrée, qu'il se mit à paniquer.

— Le mariage de Muriel ? ! Mais j'ai un autre truc vachement plus important, moi ! Ben, si, j'avais oublié ! Mais tu te rends pas compte, c'est... c'est... capital pour moi... ce rendez-vous chez les jumeaux ! Ouais... capital !

— Écoute-moi bien, Fabrice ! Je ne sais pas ce que tu as promis et à qui, et je ne veux pas le savoir ! Le mariage de ta cousine Muriel est fixé depuis des mois, alors mon garçon, pour une fois, tes petites affaires, tu vas les mettre en veilleuse !

— Mais... mais... maman, je dois absolument...

— Balayer cette cuisine ! coupa-t-elle brusquement. Oui, voilà absolument ce que tu dois faire !

Tout d'un coup, il était redevenu un enfant. Plus un adolescent conquérant du monde et sûr de lui, mais un petit garçon perdu au milieu d'une cuisine en bazar.

— Ton père arrive demain matin par le train de 10 h 30 ! Nous allons le chercher et nous partirons immédiatement de la gare pour le mariage. La cérémonie est à 12 heures à la mairie du Croisic. Point à la ligne !

— Et si je prends un train pour Nantes après ! ? Hein, ça irait, comme ça ! Je me fais la noce de Muriel et la fête avec Garan... euh, et mon rendez-vous chez les jumeaux !

Comment lui dire pour Garance ? Comment lui expliquer que depuis l'appel de Benoît, il n'avait plus pensé qu'à ce rendez-vous que Juliette lui avait fixé avec Garance pour demain après-midi ?

— Je crois, mon chéri, que tu ne m'as pas comprise ! Point à la ligne, cela signifie qu'on change de sujet !

Sa mère venait de retirer son manteau. Elle s'était dirigée dans l'entrée pour le suspendre à la patère du couloir. Tel un petit chien, Fabrice la suivait en geignant des *« mais, maman »* lamentables. Elle récupéra le paquet contenant la chemise et son sac à main sur le perron de la maison. Vigoureusement, elle les secoua pour les débarrasser de la neige qui les avait recouverts, sans se préoccuper des supplications de son fils. C'est lui qui, comme elle quelques instants auparavant, se retrouva implorant à la porte de la salle de bains quand elle y entra pour se passer de l'eau sur le visage. Elle ne l'écoutait toujours pas lorsqu'elle enduisit de pommade les extrémités de ses doigts abîmés par les brûlures.

Elle en avait assez ! Elle voulait qu'il la laisse tranquille ! Elle avait envie d'aller s'affaler dans un fauteuil et de ne plus penser à rien. Lui, continuait à gémir, à négocier.

– Je peux faire les deux ! Le mariage à midi, et rentrer pour la fête des jumeaux dans l'après-midi ! Hein ? Dis oui ! Allez, sois cool, m'man !

Cool ? Il ne voyait pas qu'elle pleurait. Il ne faisait pas la différence entre l'eau dont elle s'était aspergée et les larmes qui coulaient sur ses joues creusées de fatigue. Cool ! ? Parfois les expressions de Fabrice étaient désarmantes...

Par contre, son obstination n'était pas désarmante, elle devenait lamentable.

– Je paierai le train avec mon argent de poche, si c'est ça le problème...

Lamentable et épuisante.

Mme Concellis se retourna vers son fils. Elle l'adorait, il la faisait souvent rire et elle puisait fréquemment en lui des morceaux de sa propre jeunesse qu'elle voyait s'échapper. Elle aimait son côté rêveur et appréciait tout autant sa détermination lorsqu'il affirmait ses opinions. Mais là, franchement, elle le trouvait ridicule et de plus en plus pitoyable. Elle pensa qu'il valait mieux ne pas le lui dire et essayer plutôt de le raisonner. Sentant aussi qu'elle risquait de le gifler s'il continuait ainsi, elle prit sa respiration :

– Fabrice, les fêtes avec tes copains et surtout... tes copines – j'ai compris, je ne suis pas complètement tarée –, tu en auras des tas d'autres, tu le sais très bien, ne t'inquiète pas ! Muriel, elle, ne se marie qu'une fois. Souviens-toi à quel point tu es comme un frère pour elle. Je m'étonne d'ailleurs que tu aies pu oublier son mariage. C'est tout !

– Mais...

– Non, ce n'est pas tout ! La famille au grand complet sera là. Tes grands-parents ne t'ont pas vu depuis un an et demi. Ils se font une joie de te retrouver, tu n'as pas l'air de l'imaginer. Fais un effort pour comprendre tout cela, s'il te plaît ! Tu ne peux pas songer à eux simplement pour les billets qu'ils te glissent dans une enveloppe à Noël et à chacun de tes anniversaires ! La vie n'est pas comme ça !

– La vie ? Qu'est-ce que t'en sais, toi, de la vie ? ! J'en ai rien à secouer de ta nièce Muriel et de son jules ! Ça va être mortel ! J'ai pas envie d'y aller, à ce mariage de merde !

Il avait crié. Mme Concellis laissa s'étirer quelques secondes. Ce fut comme un espace vide et gigantesque entre eux. Dans celui-ci s'éteignirent les hurlements de Fabrice. C'était un large no man's land. Sur une rive, le garçon sincèrement désespéré soufflait de rage, sur l'autre, sa mère totalement épuisée avait le choix entre élever la voix à son tour ou se taire afin de ne pas continuer l'ascension de cette pente.

— La question ne se pose même pas, mon garçon ! Nous serons demain midi au mariage de Muriel ! dit-elle calmement en sortant de la salle de bains.

Elle s'arrêta devant la porte de la cuisine et jeta un regard las sur l'état du sol et sur les taches assombries de suie qui recouvraient l'émail de la gazinière et du carrelage alentour. Elle pensa qu'il faudrait peut-être faire une déclaration à l'assurance, mais se contenta de lancer d'un ton ironique :

— Je suppose que tu as rangé et nettoyé ta chambre, comme je te l'avais demandé.

— Change pas de sujet, maman !

— Écoute, Fabrice, est-ce que tu peux m'accorder un quart d'heure de calme complet ? Je crois que ce serait mieux pour nous deux. Après, je descendrai préparer le repas !

— J'ai pas faim !

Huit ans d'âge mental, pensa-t-elle.

— Bon... ! Tu veux bien passer le balai dans la cuisine ? Il y a des morceaux de verre...

— Tu peux toujours courir ! C'est toi qui l'as pété, ton saladier, pas moi ! cracha-t-il.

La gifle partit et s'écrasa sur la joue gauche du garçon. Pas un cri ne l'accompagna, ni d'un côté, ni de l'autre. Juste le bruit sec et court de la gifle. Un point à la ligne.

*

Mme Concellis alla s'enfermer dans sa chambre et s'allongea sur son lit. Elle resta quelques instants, en apnée, le visage enfoui dans ses oreillers. Peut-être aurait-elle voulu pleurer ? C'était déjà fait et, à présent, elle était trop épuisée pour recommencer. Elle décida de prendre le temps qu'il fallait pour se calmer. Et si on ne dînait pas, eh bien, tant pis ! « Ta cuisine ! », « ton saladier ! », « ta nièce ! ». Il avait fait fort, ce soir !

Dehors, loin, les sirènes des pompiers ou des ambulances déchirèrent la torpeur dans laquelle la neige plongeait la ville.

En bas, tout près, Fabrice tourna en rond un petit moment en se tenant la joue, avant de se résoudre à attraper le balai. En pestant contre le monde entier, il oublia une bonne partie des tessons au ras des plinthes. Il pensa téléphoner à Benoît ou aux jumeaux, mais pour leur dire quoi ?

« J'ai pris une baffe par ma sorcière de mère qui m'interdit d'aller au bal demain » ?

Ou bien :

« Dites à ma princesse Garance qu'elle m'attende. Je marie ma cousine, je remplis deux sacs plastiques de petits fours pour remplacer ma tarte Tatin, et je vous rejoins dimanche » ?

Téléphoner à Garance ? Et lui demander de l'excuser pour son empêchement de samedi ?

Trop orgueilleux, Fabrice était incapable de s'excuser ou de demander pardon. Ni auprès de sa mère, ni auprès de personne. Il savait déjà qu'il ne pourrait pas aller chez les jumeaux. Il avait l'impression de vivre son premier grand chagrin d'amour, alors que ni Garance ni lui ne s'étaient encore vraiment déclarés. Mais c'était si insupportable de devoir se débrouiller tout seul avec cette douleur...

Pourtant, s'il avait creusé plus au fond de ses pensées, Fabrice aurait sans doute constaté que sa déception, déjà, il l'entretenait. Il caressait son désarroi dans le sens du poil, comme une sale bête qu'on apprivoise pour mieux l'utiliser. Parce que, au fond, rater l'après-midi chez Jérôme et Juliette, était-ce vraiment un échec aussi terrible que la fin du monde ? Cette absence à la fête lui fournissait même un excellent prétexte pour prendre des nouvelles de la jeune fille, dès samedi soir ou dimanche. Si Garance l'aimait, elle pouvait avoir l'occasion de lui dire à quel point il lui avait manqué chez les jumeaux. Qu'elle comprenait, qu'elle ne lui en voulait pas de ce contretemps, mais que cet après-midi sans lui, pour elle, ce n'était pas pareil... Oui mais, Fabrice ne voulait pas que l'on comprenne son absence. Personne ne pouvait le faire, puisque lui s'y refusait.

Il avait la haine. Pour l'instant, c'étaient le balai et les pieds de la table et des chaises de la cuisine qui encaissaient les coups de sa rage, mais il n'avait pas dit son dernier mot.

Quand il découvrit son visage dans le reflet de la fenêtre, il vit sa joue gauche écarlate. Son œil était très légèrement enflé. Il alla vérifier les dégâts dans le miroir du couloir. Sincèrement, ce n'était rien, mais là, en pleine déprime, la trace des doigts se transforma en blessure profonde. Fabrice pensa avec horreur qu'il allait se trimballer un hématome sombre dans les jours à venir et peut-être même dès demain. En une autre circonstance, Fabrice serait allé réclamer à sa mère qu'elle le tartine de pommade pour lui éviter le désagrément de ce genre de trace, mais là, pas question !

Au contraire, sa « blessure » pouvait peut-être servir sa rancœur. Son esprit tournait à toute allure, avec plus d'efficacité que son balai. Il pouvait se faire passer pour un adolescent battu. La famille allait avoir de quoi cancaner demain... Et la culpabilité de sa mère ne serait que plus insupportable s'il jouait, pendant le reste de la soirée, le rôle d'un garçon modèle et serviable. Bien entendu, tout ceci n'était pas encore très clair dans son esprit, mais il sentait que sa vengeance pouvait trouver une voie intéressante dans cette direction. Il attrapa l'éponge et le produit pour l'émail sous l'évier et commença à frotter avec hargne.

Sa rage tenait aussi bien que la suie qu'il ne réussit qu'à étaler. Il abandonna donc rapidement la gazinière et attrapa dans le congélateur un plat préparé de cabillaud à la bordelaise. Il l'engouffra dans le four à micro-ondes après l'avoir déposé dans un plat en verre.

Un merveilleux garçon, serviable, prévenant, si attentif à la fatigue de sa maman...

Elle ne perdait rien pour attendre !

Il mit la table dans la salle à manger.

Elle allait lui payer son rendez-vous d'amour manqué !

Du frigo, il sortit un reste de salade de la veille.

À lui la haine, à ses parents la honte !

Il s'installa au salon devant la télé en attendant que sa mère descende.

Fabrice ne savait pas s'arrêter. C'en était parfois épuisant pour son entourage, cela pouvait aussi devenir dangereux.

5
Coup de pompe

Le poisson de la veille avait du mal à passer. Ou alors c'était l'entrée. Ou bien les deux. En tout cas, quelque chose lui pesait sur l'estomac depuis ce matin, mais il n'arrivait pas à savoir quoi. Pourtant, le dîner avec sa mère avait été des plus agréables.

Après être repassé chez lui pour une douche rapide et un changement de tenue, il avait filé la chercher. Ensemble, comme un vrai petit couple complice – malgré la différence d'âge –, ils étaient partis découvrir ce nouveau restaurant du cours des Cinquante, dont elle lui avait parlé le matin même, au téléphone. La neige qui continuait à tomber tranquillement donnait aux rues de la ville un aspect vierge et originel que seules quelques voitures tentaient de perturber.

Hier soir, ils avaient été parfaits. Sa mère, sublime, bien entendu. Son chignon refait, ses peintures de combat impeccables soulignant ses yeux et sa bouche, sa quincaillerie en or massif autour du cou et des doigts, Mme veuve Léopoldine de Saint-Avril, dans son manteau d'ocelot, pouvait passer – ce n'était pas exceptionnel – pour une ancienne star de cinéma ou une grande actrice de théâtre sortant son jeune amant dans un dîner en ville. Stanislas, son fils unique et chéri, lui offrait le bras, ouvrait la portière de la voiture, tenait le rôle irréprochable de chevalier servant. Comme à chacune de leurs soirées ensemble, il était aussi élégant que sa « môman » chérie. Dans son costume en alpaga et son manteau clair en poil de chameau, il ne dépareillait pas. Des gens très classe dans un restaurant de luxe.

L'Eau à la Bouche était décoré avec beaucoup de goût. Le maître d'hôtel était zélé mais discret, et la table qui leur avait été désignée, placée près d'une des baies vitrées de la salle, ce qui leur permettait de se faire admirer par les autres convives et les rares passants, tout en jetant un œil émerveillé au spectacle si peu commun de la neige costumant une ville au climat atlantique.

Léopoldine de Saint-Avril avait mille choses passionnantes à raconter à son fils et celui-ci avait envie de les entendre. Elle monologua une bonne heure sur son après-midi, sur les travaux du tramway qui provoquaient – se plaignait-elle, alors qu'elle ne conduisait pas – des embouteillages inextricables, sur ses parties de la semaine dans son club privé de bridge dans le quartier République, son prochain voyage dans les montagnes Rocheuses « aux Staaaitzes »... C'était du bonheur recouvert d'une couche épaisse de chantilly neigeuse. Peut-être Stanislas gommait-il ainsi, en se laissant bercer par les digressions de sa mère, le souvenir morbide de Joël Steinberg ? Mais ce n'est pas certain. Le psy était mort, Stanislas n'était pas vraiment coupable puisque sa « môman » savait le couvrir de ses confidences et de son attention. S'il avait regardé sa montre, il ne se serait sans doute même pas rendu compte que, lorsqu'ils commandèrent leur menu au serveur, à peine une heure et des flocons s'était écoulée depuis l'explosion de la petite maison de la rue de la Grange au Loup et le décès de son propriétaire.

Saint-Nazaire. 43 kilomètres.

---

indiquait le panneau sur le bord de la route.

Ou alors, c'était le vin qui le barbouillait ainsi ? Un anjou blanc, un bonnezeau qui à lui seul avait valu le prix d'un repas. Non, le vin était excellent de même que le sandre au beurre blanc, le saumon sur son lit d'oseille safrané et tout ce qu'on leur avait servi. Pourtant, ce samedi matin, dans sa 306 roulant à vive allure en direction du port de Saint-Nazaire, Stanislas avait mal, mais il n'aurait su dire si c'était au ventre ou au cœur. Il était 11 h 30 à la pendule du tableau de bord et sur les rives de l'estuaire de la Loire, il s'était promis de faire l'aller et le retour dans la matinée. Mais il s'était réveillé tard – c'était peut-être cet embryon de grasse matinée qui l'indisposait – et malgré la neige qui tenait bon sur le bord de la quatre-voies, il roulait assez vite.

En réalité, Stanislas n'allait pas exactement à Saint-Nazaire mais à La Baule, quinze kilomètres plus à l'ouest. Il se rendait dans l'une des maisons de Mme de Saint-Avril, perdue dans les pins, à trois cents mètres du front de mer. Elle l'avait chargé hier soir – au moment des desserts – d'aller calfeutrer deux robinets extérieurs qui, avec le gel, risquaient d'éclater et d'occasionner des dégâts importants. Tout en roulant, Stanislas pensa qu'il pouvait aussi bien passer le week-end dans la maison et ne rentrer que le dimanche soir pour reprendre son poste de vigile le lundi matin.

Cette maison, comme les deux autres de Mme de Saint-Avril, était louée, de Pâques à septembre, à des étrangers en vacances, amoureux de l'Atlantique. Mais la fortune de Léopoldine ne se cantonnait pas seulement à ces trois demeures balnéaires. « Madame veuve » possédait un patrimoine immobilier non négligeable dans lequel on comptait des appartements à Paris, une modeste chasse en Sologne et un gros chalet sur les hauteurs du lac de Genève qu'elle louait à l'année à un artiste peintre suisse. Les revenus de ses locations représentaient une rente plus que coquette, qui lui permettait de mener un train de vie enviable et d'entretenir son incapable de rejeton. Elle voyait d'ailleurs dans le poste de vigile de sécurité qu'il occupait depuis quelques mois, juste un moyen amusant de se faire un peu d'argent de poche. Rien d'autre. Elle désapprouvait son désir de devenir un jour inspecteur – pardon, commissaire de police – alors qu'elle pouvait lui offrir, dès demain, un magasin à placer en gérance ou une brasserie dans laquelle il n'aurait même pas à venir s'ennuyer pour en toucher les bénéfices. Elle mettait tout cela sur le compte d'une volonté d'indépendance, bien normale après tout, de la part de son chéri de vingt-trois ans.

Pour l'instant, le petit biquet à l'estomac endolori s'engageait avec prudence sur la bretelle d'accès d'une station-service Elf.

Il avança au pas jusqu'à la pompe *98 sans plomb* et sortit de sa voiture pour faire le plein. Le vent était plus vif qu'hier soir. Chargé d'océan, il giflait tout sur son passage, en remontant l'estuaire. Stanislas était seul sur la piste. Garé assez loin sur un parking latéral, un semi-remorque allemand vide somnolait, probablement en attente d'une réparation. Derrière la baie vitrée de sa boutique, une caissière qui pouvait avoir son âge l'observait vaguement pour tromper son ennui. Sur le perron, à gauche de l'entrée, un présentoir publicitaire oscillait sous les assauts du vent. Le *Ouest-France* du jour annonçait sa une en caractères gras.

Nantes. Un mort.
Explosion d'une villa dans le quartier nord.
Meurtre ou accident?

– Il vous reste des journaux ? fit-il en récupérant sa monnaie après avoir réglé son plein.

– Et comment ! J'en ai pas vendu des masses depuis ce matin. Le trafic est nul sur la voie express. Il suffit d'un ou deux centimètres de neige pour que les gens s'imaginent qu'ils vont devoir affronter la banquise ! lança la caissière qui, visiblement, avait envie de parler.

– Faites-moi un café, s'il vous plaît ! demanda Stanislas, et gardez la monnaie, ajouta-t-il en poussant vers la jeune fille bien plus que le prix du quotidien et d'un petit noir.

À ses pieds, un dogue tacheté comme un 102ᵉ dalmatien leva avec lassitude sa truffe en direction de l'unique client. Après quelques secondes de ce reniflement réglementaire, le monstre reposa la constellation blanche de son museau entre ses pattes – deux battoirs antérieurs qui n'avaient rien à envier à des jambons de Bayonne – et se replongea dans un rêve de chasse au sanglier au cœur d'une campagne enneigée.

Le journal causait du temps. La neige méritait un quart de la première page et, en photo couleurs, la place Royale de Nantes prenait un aspect féerique. La pollution occupait aussi une bonne place à la une. Des résidus de marée noire étaient revenus depuis quelques jours – en galettes – se vomir sur les plages de la région. Des galettes épaisses et complètes (jambon-œuf-fromage), histoire de bien faire comprendre aux Bretons et aux Vendéens qui s'imaginaient avoir tout nettoyé qu'il y avait du rab, même pour ceux qui n'en pouvaient plus. *Ouest-France* parlait aussi de la disparition d'un adolescent, une fugue ou un rapt, se demandait le titre de l'info. La photo du garçon était un peu floue en page 8.

Le quotidien régional en savait bien entendu moins que Stanislas au sujet de la mort de Joël Steinberg. L'information valait dix petites lignes en pages générales. Elle était plus longuement développée en pages locales. Trente lignes et une photo avantageuse faisaient le portrait du psy. La journaliste évoquait même le drame familial qui avait frappé le médecin cinq ans auparavant, ce qui pouvait laisser planer – au dire de la police – l'éventualité d'un geste désespéré. La journaliste notait cette possibilité pour la balayer aussitôt en parlant des nombreux impacts de balle retrouvés sur le cadavre calciné. Sur un autre cliché, on distinguait la rue de la Grange au Loup barrée par un cordon de policiers et de pompiers, les premiers se gelant les pieds dans ce qui avait été le jardinet, les seconds s'affairant à coups de lance sur des gravats qui n'évoquaient déjà plus grand-chose.

À la lecture du reste de l'article qui occupait une moitié de page, Stanislas conclut que la police piétinait, et pas seulement dans la neige. On attendait les résultats de l'autopsie pour affiner les hypothèses policières. Celle du règlement de compte ou de la vengeance d'un malade – ancien patient du psy ? – n'était pas écartée, affirmait la journaliste. L'enquête ne faisait bien sûr que commencer et on recherchait, encore hier soir, l'arme du crime. Sa découverte ferait sans aucun doute avancer les investigations policières, concluait-elle sans trop se mouiller.

Les flics ne savaient et ne sauraient rien ! Strictement rien ! Ils passeraient leur vie, pensa Stanislas, à chercher le Smith et Wesson qui somnolait dans la boîte à gants de sa 306 garée à l'entrée de la boutique.

Rien, aucune preuve. Pas un indice ! Rien !

La police classerait ce dossier après s'être aventurée sur des pistes complexes et toutes totalement infructueuses. De difficile, l'enquête deviendrait impossible et, pourquoi pas, l'affaire se transformerait en un véritable mystère comme il en existe quelques rares exemples. Elle s'inscrirait dans la courte liste de ces crimes jamais élucidés qui font les choux gras des chroniqueurs judiciaires à la radio, de ces histoires qui font l'objet de soirées spéciales à la télé. La mort du Dr Steinberg deviendrait un vrai cas d'école, sans solution. Un chef-d'œuvre qu'on ausculte à la loupe sans arriver à l'élucider. Parfaitement ! Ce genre d'école dans laquelle cette ordure de Steinberg avait voulu empêcher Stanislas d'entrer.

Coup de pompe

Quel talent! Et c'était lui, l'artiste de cette œuvre!

Avec délectation, Stanislas se rendit compte à quel point il avait été « admirable ». Il prononça le mot à deux reprises, à voix basse, et la serveuse, aux aguets, l'entendit. Elle pensa que le jeune homme lui faisait un compliment personnel et lui décocha une délicate œillade.

Il faut la comprendre. À presque vingt-six ans, Nagham trouvait que l'existence n'avait pas été particulièrement généreuse avec elle. C'est vrai, la vie ne prend pas souvent le rôle du Bon Samaritain, mais pour Nagham, la vie avait plutôt enfilé le costume d'un Harpagon avare en bonheurs. Après une multitude de petits boulots, les uns instables et les autres lamentables – quand ce n'était pas les deux en même temps –, la jeune femme avait atterri là, au beau milieu de rien, sinon six pompes à essence sur deux rangées, une vieille piste de lavage à jetons (bloquant à tous les coups le mécanisme automatique), un minuscule « shop Elf » aux produits hors de prix, et des toilettes bouchées tous les deux jours. La station-service fermerait dans l'année, avant l'été, le propriétaire l'avait prévenue, mais n'avait pas prévu de lui assurer une place dans la nouvelle station qu'il faisait construire à vingt kilomètres en aval, vers Saint-Nazaire.

Nagham se morfondait à cette place de caissière trois week-ends sur quatre depuis deux ans, en compagnie de Gros Didier. Celui-ci était étudiant à

75

l'École des beaux-arts de Nantes et bossait nor-
malement les mêmes week-ends que Nagham, mais
il arrivait toujours en retard – et pas vraiment frais –
chaque samedi matin. Aujourd'hui, alors que la
neige et pas mal de verglas recouvraient le réseau
routier, il avait davantage de raisons que d'habitude
pour se pointer plus en retard encore sur son vieux
scooter pourri.

Nagham avait froid et déprimait sérieusement.
Un mois auparavant, Cédric l'avait plaquée, jetée
plutôt. Brusquement, un peu comme ces gens qui se
décident à balancer aux ordures un joli bibelot
auquel ils croyaient tenir éternellement. Un soir, en
débarrassant son assiette et en visant la poubelle
avec son pot de yaourt vide, il lui avait annoncé :
« *Nagham, c'est fini !* » Sa voix était monocorde,
elle avait demandé de quoi il parlait – il pouvait
avoir voulu dire : « *j'ai fini mon yaourt !* » –, mais
non, elle avait bien entendu. Cédric s'était contenté
d'ajouter : « *T'as deux jours pour faire tes valises,
je garde la machine à laver et la gazinière, je te
rappelle que c'est moi qui les ai payées.* » Elle
n'avait pas même été le joli bibelot, plutôt un pot
de yaourt vide (peut-être aux fruits exotiques). Elle
n'avait rien dit, Nagham. De toute sa vie elle
n'avait jamais vraiment rien dit.

Aussi, en ce matin de février, ce matin irréel de
silence ; sous cette neige recouvrant l'estuaire du
plus long fleuve de France, oubliée par un Gros
Didier qui porterait, bien dessinées sous ses yeux,

les dédicaces de sa fête de la veille avec ses copains et copines ; abandonnée de fraîche date par un garçon avec lequel elle avait sincèrement espéré construire sa vie ; en entendant ce beau et jeune client répéter « admirable » par deux fois, Nagham Achrafié prit cet adjectif pour elle, comme un début de déclaration. Elle tressaillit au frisson qui lui parcourut le dos, sentit avec un délicieux plaisir ses joues virer au rose et lança d'une voix tremblotante :

– Je vous remercie, vous savez, vous êtes drôôôlement sympa !

Elle avait énôôôrmément insisté sur le *drôlement*, mais Stanislas ne répondit pas.

– Vraiment, je vous assure ! Si tous les clients étaient comme vous ! fit-elle avec un peu plus d'assurance.

Celui-là ou un autre... Le Prince Charmant qui se pointe sur son grand cheval blanc et ferait d'elle une princesse... c'était peut-être lui. D'ailleurs, tout n'était-il pas blanc autour d'eux ? Même le ciel était d'un laiteux rarissime en cette région. C'était un signe ! Zouarn, le dogue tacheté, qui répondait aussi au nom de « Couché-le-chien ! Couché ! », pourrait la tenir, cette foutue station-service agonisante, si cet homme-là voulait bien l'emmener, elle était prête, Nagham !

– Drôôlement sympa ! répéta-t-elle.

Stanislas ne réagit toujours pas. Non seulement parce qu'il ne regardait pas Nagham, mais parce qu'il ne l'entendait pas.

Il rêvassait en tournant plus que nécessaire sa cuillère dans son café et, avec soulagement, il constata que son mal de ventre s'était estompé. Il se sentait parfaitement bien. Irrésistible.

– Irrésistible... murmura-t-il pour lui-même, entre ses dents.

– Vous exagérez, mais c'est très agréable à entendre ! Je vous en offre un autre ! dit bêtement Nagham alors qu'il n'avait pas encore touché à son premier café.

La cuillère continuait sans freiner sa série de révolutions dans la tasse. Nagham guettait un regard, un signe, comme un sésame à tous ses espoirs. Mais le client se prélassait dans sa bulle hermétique. Il se sentait invincible. Un tigre dans la neige.

Seulement, Stanislas était à mille lieues de penser que cette invincibilité, il ne la devait qu'à cette force ressentie en tuant un homme. Stanislas n'était plus dorénavant qu'un assassin. Rien d'autre. Il clamait partout, à qui voulait l'entendre, qu'il désirait devenir un défenseur de l'ordre, un protecteur de la veuve (sa mère ?) et de l'orphelin (lui ?), mais c'était pour dissimuler sa véritable passion, sa nature réelle : le crime. Steinberg – ce « fouilleur d'âmes » – l'avait probablement compris et, pour cette raison, avait opposé son veto à la candidature du jeune homme. Alors, Stanislas avait gommé Steinberg ! Mais de là à oser s'avouer qu'il avait adoré commettre son meurtre, qu'il avait ressenti un indéniable plaisir à le mettre si bien en scène dans la petite maison où piétinaient les flics, il y avait un pas de Gulliver qu'il n'était pas prêt à franchir.

« *Irrésistible et invincible!* » soliloqua-t-il à nouveau.

— Moi, c'est Nagham... enfin, pour les amis! dit-elle, essayant de faire lever vers le sien le regard du jeune homme.

Elle songea qu'elle venait de raconter une bêtise. Des amis, elle n'en avait plus, elle les avait laissés avec la gazinière et le frigo à Cédric. Celui-là était peut-être le bon!

— Et vous, c'est quoi, votre petit nom? insista-t-elle, délicate.

Le tigre leva enfin un œil étonné sur cette chétive gazelle, qui, après avoir arrangé ses cheveux d'un geste maladroit, continuait à s'activer, toujours armée de son chiffon, sur le même coin du percolateur depuis deux minutes.

Le fauve vit d'abord le marc de café sur le front de la proie. En se recoiffant à la hâte, Nagham n'avait pas lâché le morceau de serpillière qui lui donnait son prétexte de ménage. La guenille ayant frotté contre le réceptacle de la machine dans lequel marinait un jus épais, sans s'en apercevoir, Nagham avait étalé sur son front une lamentable traînée brunâtre, exactement à la naissance de ses cheveux.

— Pardon? s'étonna Stanislas en fixant, écœuré, la vilaine trace de café.

– Moi, c'est Nagham Achrafié, et vous, c'est quoi, votre prénom ? répéta la serveuse en esquissant un sourire avenant et gracieux.

Il voulait tout dire, ce sourire. « *Tu es mon seul rayon de soleil de la matinée, et peut-être pour plus longtemps encore... Accorde-moi ton attention, moi je suis prête à tout te donner... Je ne sais pas si je viens d'être touchée par ce coup de foudre que décrivent les livres et qui me fait sangloter au cinéma, mais je t'assure que si tu m'aides, je suis prête à le croire... Alors parle-moi, bel inconnu, sois en confiance ! Et reste, surtout ! Reste encore !* » Oui, son sourire voulait exprimer tout cela, et rien de moins.

Un autre aurait su traduire ce qui clignotait sur le visage de Nagham, mais, manque de chance, c'est Stanislas de Saint-Avril qui lui faisait face. Dans le regard du jeune homme demeurait un vrai dégoût pour cette trace décidément répugnante et pour la sonorité trop chantante de cet accent qui osait le tirer de sa rêverie.

– Drôle de nom... fit-il froidement.

– C'est celui d'un grand quartier de Beyrouth Est ! C'est aussi là-bas que je suis née. Je suis d'origine libanaise, mais je vis en France depuis plusieurs années.

La jeune femme se rendit compte qu'elle parlait peut-être trop. Elle risquait de l'ennuyer. Il fallait laisser plus d'espace pour que l'échange s'installe entre eux.

– Mais Nagham, c'est bien suffisant. Et vous alors, c'est comment? dit-elle en riant.

– Ah bon, ce sont les étrangers qui demandent leur identité aux Français, maintenant?...

Trop en confiance, la jeune femme prit cette phrase pour un trait d'humour.

– Alors, votre prénom, c'est secret à ce point? insista-t-elle joyeusement.

Stanislas ne sourit pas. Et comme il tardait à répondre, elle se fit plus précise.

– Vous savez, je finis ce soir à 20 heures, et si nous devons nous revoir, ce serait peut-être mieux que je sache comment vous appeler...

Jamais elle n'avait eu l'audace de parler ainsi à un homme qui lui plaisait. Elle allait passer pour une allumeuse, mais tant pis. Elle voulait sortir de son cauchemar d'existence et c'était celui-là qui allait lui servir de passeur.

En face, sur l'autre rive du bar, Saint-Avril fut abasourdi par ce qu'il venait d'entendre. Lui, un artiste de génie, lui, un Saint-Avril, se faire lamentablement draguer par une bonne de station-service? Cette souillon, cette petite merdeuse, étrangère de surcroît, osait penser qu'elle avait ses chances avec un type comme lui?! Quel affront!

– Nous revoir?... fit Stanislas d'un ton supérieur.

– J'aimerais bien! Non, j'aimerais beaucoup!

Bon, là, elle ne pouvait décemment être plus explicite.

Toujours au pied du comptoir, Zouarn dut sentir quelque chose que Nagham ne saisissait pas. Il redressa son museau sur le client avant de se lever sur ses pattes postérieures. Assis, il émit un petit grognement imperceptible qu'on aurait pu prendre pour un simple hoquet. Il attendait l'orage, l'explosion, le coup. Celui-ci arriva aussitôt après, brutal et cinglant.

– Tu gagnes si peu ici que tu aies besoin de faire la pute pour boucler tes fins de mois ! ?

– La quoi ? ! ! !... Mais pas du tout, je ne suis pas comme ça, je...

Nagham crut défaillir. Elle ne trouvait plus ses mots, ses jambes aussi semblaient se dérober sous elle. L'insulte de Stanislas était arrivée par surprise et la laissait sonnée sur place.

– Te fatigue pas... les petites bougnoules, c'est pas mon genre !

– Mais... je suis française, j'ai la double... et puis, je ne suis pas bougn... je suis chrétienne...

Elle se justifiait, sentant qu'il ne fallait pas, mais les mots étaient sortis en désordre, dans un vrac qui ressemblait à ce qu'elle avait dans la tête.

– Française ? Mais les putes françaises se lavent avant d'aller tapiner ! Va te laver, pauvre chose ! fit Stanislas en désignant sur son propre front la trace de marc de café.

Le même plaisir. Il ressentait exactement le même plaisir à insulter Nagham qu'il avait eu à assassiner Steinberg. La même force. Quelque chose qui lui donnait la certitude d'être immortel et intouchable.

– Sortez d'ici ! Je vous ordonne de sortir ! s'écria la jeune femme en tremblant.

– Je vais où je veux, petite ! Les ordres, je les prends de mes supérieurs, pas de subalternes comme toi ! T'es mal tombée, je travaille justement au Service de répression du proxénétisme ! mentit Stanislas avec un aplomb qu'il voulait professionnel.

– Je n'ai rien à faire avec vos services de je ne sais quoi ! Rien ne vous donne le droit de m'insulter ! Sortez d'ici !

La voix de Nagham se fit plus forte. Elle ressentait toujours la même peur de cet inconnu mais, à présent, sa hargne remontait. En face d'elle, il n'y avait pas simplement les allusions racistes et les menaces d'un client sur lequel elle s'était trompée, il y avait ce salaud de Cédric, il y avait son prochain chômage, il y avait Gros Didier et ses retards habituels... en face d'elle, il y avait son malheur et c'est à lui qu'elle hurlait : « Casse-toi ! »

Solidaire de Nagham, Zouarn aboya une fois, comme on lance une sommation. Il était à un élan de mâchoire du haut de la cuisse du client. Stanislas sentit qu'il risquait gros et, peu enclin à perdre la face (et son entrejambe), changea de ton mais pas de discours.

– Montre-moi ta carte de séjour ! fit-il calmement à Nagham.

– Quelle carte de séjour? Non mais, vous êtes complètement à la masse, je vous ai dit que j'étais française! Depuis dix ans! Ma carte de séjour? N'importe quoi! Allez, sortez d'ici!

– Bien, alors ta carte d'identité! Je me contenterai d'un simple avertissement pour aujourd'hui! Ton nom, ton âge, ton adresse!

Elle ne put s'empêcher de penser que son nom, son âge, son adresse, son téléphone, il y avait cinq minutes encore, elle était prête à les lui donner, cela et plus encore.

– Et votre carte de flic, on peut la voir? lança-t-elle.

– Ici, c'est moi qui pose les questions! renvoya-t-il sèchement.

– Je veux voir votre carte, ou alors, vous giclez d'ici!

Gicler prit un sens particulier quand il entendit grogner Zouarn à quelques centimètres.

– Je vais la chercher dans la voiture, mais je t'assure, ça ne va pas se passer comme ça!

– Je suis sûre que vous êtes flic comme moi je suis la petite-nièce de Madonna! Les flics ont plus de style que vous, pauvre type! Cassez-vous de ma station, espèce de guignol!

– Je vais la chercher! répéta Stanislas d'un ton sévère tout en battant en retraite vers la porte.

Elle avait dit « pauvre type »?! Pour qui se prenait-elle, cette petite chiure de métèque?! On ne parlait pas ainsi à Stanislas de Saint-Avril! Personne! Jamais!

Quand il plongea la main dans sa boîte à gants, il vit que la jeune femme venait de décrocher le téléphone. Elle composait un numéro. Sans hésiter un instant, il arma le Smith et Wesson et revint en vitesse vers le magasin de la station.

– Raccroche ça immédiatement ! cria-t-il.

– Attaque, Zouarn, attaque ! hurla Nagham autant dans le combiné qu'au chien.

Il tournait en rond à ses pieds derrière le comptoir.

La première balle stoppa le dogue dans son élan. La deuxième le scotcha à terre, la troisième donna un sens définitif à son surnom « Couché-le-chien ! Couché ! ». Une petite flaque de sang se forma sous le dogue. Le bas du jean de la jeune femme, ses chaussures, les plinthes autour d'elle, tout était constellé de taches écarlates.

Nagham tremblait. Le téléphone était tombé de sa main et pendait au-dessus du sol, au bout de son tortillon. Cet effroi, elle l'avait connu petite, lorsque terrée dans les caves et les sous-sols de son immeuble à Beyrouth, elle comptait les secondes séparant l'explosion de l'impact des obus. Là-bas, gamine d'une dizaine d'années, elle avait attendu la mort, comme d'autres attendent les huissiers qui viendront vider l'appartement. La mort rôdait partout dans sa ville. Précédée par les sirènes hurlantes et par les vagues des avions saupoudreurs de bombes, la mort déboulait par rafales de mitraillettes et par chapelets d'explosions. À la fois méticuleuse et maladroite, la mort fouillait tout. Les appartements en dessoudant les balcons de leurs façades, les parcs en réduisant sous forme de fagots les branches éclatées et les troncs explosés, les rues en éventrant le bitume des chaussées, en transformant les trottoirs en pierres tombales. La mort, Nagham avait senti son odeur de poudre, écouté son hurlement assourdissant, découvert son visage fumant. Tout cela, elle l'avait vu à travers les yeux terrifiés de ses parents, alors qu'elle se blottissait entre leurs bras dans la pénombre des abris. Elle avait prié pour que la mort oublie leur tour, passe loin de leur cave sans s'arrêter. Elle avait vu brûler son école, pleurer son père, courir les gens, mais elle était toujours vivante. Et là, ce samedi matin, près de quinze ans plus tard, dans cette station-service minable non loin d'un Atlantique qui n'avait rien à voir avec sa Méditerranée, voilà que la mort revenait. Elle signait toujours en rouge, le même rouge qu'ailleurs, mais ici, elle avait pris les traits gracieux d'un beau jeune homme dont Nagham avait cru pouvoir devenir l'heureuse élue. Elle étouffa un hurlement dans sa gorge. Elle savait depuis toujours qu'il ne fallait pas attiser la mort.

La jeune femme pensa qu'il y avait un fusil de chasse dans la réserve derrière, perdu dans le fatras de matériel publicitaire et au milieu des bidons d'huile et d'eau déminéralisée. Elle n'avait aucune chance de l'atteindre avant que ce fou n'ait réagi. Elle songea aussi que se trouvait là, à un élan de sa main, une lampe torche de sécurité qui envoyait des décharges électriques en cas d'agression, mais elle ne s'en était jamais servie – et la lampe de protection fonctionnait-elle toujours ? – pourtant cette arme serait son secours. Une aide bien dérisoire devant un type qui venait d'éteindre Zouarn aussi radicalement, mais une aide quand même. Enfin, elle se dit qu'elle voulait vivre. Malgré tous les Cédric de la terre, malgré les multiples galères d'argent, d'appartements, de boulots... Nagham pensa qu'elle voulait exister encore. Savoir à quoi ressemblerait le printemps prochain sur l'estuaire, connaître le goût d'une autre peau d'homme, la saveur d'une autre bouche, chanter à un enfant les berceuses apprises à l'école, à Beyrouth, quand les mitraillettes et les canons laissaient encore la voie libre pour s'y rendre.

– Prenez la caisse, si c'est ça qui vous intéresse, moi je ne vous aurai pas vu, jamais ! Allez-y, de toute façon c'est pas mon blé !

– Tu fais moins la fière devant mon flingue, petite vermine !

– Personne ne peut se sentir fier devant une arme ! Fier avec une arme, oui, ça, j'ai déjà vu ! Les miliciens, ils étaient amis avec nos frères et draguaient nos sœurs, et puis du jour où ils ont pris les armes, tout a été différent... mais être fier en face d'une arme, non, ça, j'ai jamais vu !

Elle regretta immédiatement d'avoir tant parlé. En face, Stanislas avait parfaitement saisi le sens de la démonstration.

– Tu veux insinuer que, sans arme, je ne suis qu'un petit branleur ? demanda-t-il avec une pointe aigre-douce dans la voix.

– Je ne veux rien insinuer d'autre, sinon que j'ai peur de vous et que je veux vivre ! répondit la jeune femme.

Elle était terrorisée. Sans plus réfléchir, elle ouvrit en grand le tiroir-caisse, le sortit de son rail et le retourna sur le comptoir. Quelques pièces roulèrent sur le sang du carrelage, les billets s'empilèrent en désordre sur le bar. Elle envoya valdinguer le tiroir vide à ses pieds.

Comme Stanislas ne bougeait pas, elle attrapa un sac en plastique sous le présentoir à friandises et fit dégringoler au fond le piètre magot amassé sur le comptoir.

– Prenez tout ! Prenez ce que vous voulez ! Moi, je ne vous ai jamais vu ! La caméra de surveillance est en panne depuis quinze jours, je vous assure, personne ne vous a vu, et je vous jure, moi non plus ! C'est tout ce que je peux vous donner !

Elle avait crié fort, pétrifiée par la panique.

Il ne saisit pas le sac qu'elle lui tendait en tremblant.

– Tu ne m'as pas vu, mais tu te précipites sur le téléphone pour appeler la police dès que j'ai le dos tourné...

– Je vous en prie, prenez l'argent et laissez-moi !

Ne pas discuter. Dire des choses simples. Ce type était fou ! Un rien, un détail insignifiant, une réflexion malheureuse pouvait le décider à appuyer sur la détente.

– On est bien, tous les deux, tu ne trouves pas ? fit Stanislas très calmement.

– Je vous en prie...

– Ce serait tellement dommage qu'un client vienne rompre notre merveilleuse harmonie ! susurra-t-il avec ironie.

– S'il vous plaît... supplia encore Nagham.

L'idée qu'il puisse souhaiter abuser d'elle venait de la foudroyer aussi violemment que s'il avait tiré. Un fou ! Une bête sauvage, mais qui demeurait attentive à chaque élément.

– Éteins la station ! Tout ! Les enseignes extérieures et aussi là-bas, celles sur la voie express ! Tout !

– Mais...

– Je te conseille de ne pas discuter, petite bougnoule ! dit-il en redressant le Smith et Wesson sur la poitrine de Nagham.

– Entendu, entendu, calmez-vous ! Les fusibles sont derrière, dans la réserve ! Je vais tout éteindre, mais je vous en prie, calmez-vous !

– Je te suis, et fais pas la maligne.

– Il y a une lampe électrique. Là ! balbutia Nagham en désignant le dessous du comptoir. Est-ce que je peux la prendre ?

Stanislas acquiesça d'un signe de tête.

Le plus délicatement possible, elle ouvrit le deuxième tiroir sous la caisse et attrapa la torche.

Puis, tout doucement, autant pour se maîtriser que pour apaiser l'homme, Nagham se retourna et poussa la porte sur laquelle était vissé un petit écriteau :

- SERVICE -
Strictement interdit au public

Après avoir fourré le sac en plastique et les billets de la caisse dans la grande poche de son imperméable, Stanislas jeta un coup d'œil dehors. La piste de la station était déserte. Il emboîta le pas à Nagham.

Depuis quelques instants, il ne savait pas exactement dans quoi il basculait. Il avait voulu faire peur à la jeune femme. Lui donner une leçon, mais il se sentait si bien, ainsi armé, menaçant, maître du monde. N'agissait-il pas, là encore, au nom de la loi ? Sa loi, la seule qui possédât toutes les valeurs ! Stanislas n'en doutait pas un seul instant – en grave paranoïaque, il ne doutait pas de grand-chose le concernant –, comme d'habitude, il avait cent fois raison. L'étrangère, non seulement l'avait insulté, mais avait osé mettre en doute sa capacité et son identité de policier. Quel affront ! Steinberg aussi avait douté, il avait payé le prix fort. Maintenant, le maître de l'univers avait un problème à résoudre, juste un petit problème qui le tracassait. Les balles de son arme se trouvaient dans le corps du chien. Les mêmes balles avaient été retrouvées par les médecins légistes dans celui du psychiatre. Tuer la Libanaise ne l'ennuyait pas, mais comment s'y prendre ? Ça, c'était important ! Beaucoup plus que la vie de cette moins que rien. Pour un esprit aussi supérieur que le sien, il était impératif de poursuivre l'œuvre – le chef-d'œuvre – commencée la veille.

Le hasard élit-il toujours les puissants ? Le hasard a-t-il une sympathie toute particulière pour les ordures ? Peut-être pas toujours, mais, là, dans le local de service, alors que Nagham faisait lentement pivoter un à un les fusibles du boîtier électrique, le hasard, au lieu de donner sa chance à la Vie, décida d'offrir à Stanislas de quoi s'installer plus encore dans sa folie. Le hasard choisit cet instant pour faire résonner dehors le ronronnement asthmatique et laborieux d'un moteur de scooter.

– N'allume pas la torche ou je t'éteins... ordonna Stanislas en ceinturant violemment la jeune femme.

Il la plaqua entre un mur et une étagère métallique encombrée de boîtes neuves de friandises, de bouteilles d'alcool, de matériels destinés aux conducteurs en mal d'autocollants et de filtres à air. Ainsi tapi dans un coin du local, Stanislas leva l'automatique contre le visage trempé de sueur de Nagham. La gueule du canon appuyait un méchant suçon sur la carotide sous l'oreille. Elle ne sut ce qui, de sa terreur ou de la douleur à son cou, était le plus épouvantable. Son sang cognait au barrage sur son cou et elle avait l'impression que ce battement tambourinait à tout rompre dans la pièce. Même de dehors, Gros Didier allait l'entendre.

Gros Didier avait l'habitude de garer sa vieille bécane dans la réserve. Ce n'est donc pas par hasard que l'homme et la femme, cachés dans la pénombre du local, entendirent le vieux scooter contourner la station et s'arrêter derrière la porte blindée.

La pression de la main de Nagham se fit plus forte sur le manche de la torche, celle du canon plus puissante sur sa veine. La jeune femme chercha le regard de son bourreau. Ce type avait pris le fric – pas vraiment une fortune dans son fond de caisse –, mais elle sentait qu'il n'était pas venu pour cela. Il n'allait pas la tuer juste pour un malentendu ou parce qu'il détestait les étrangers... On ne tuait pas non plus pour si peu d'argent... Un chasseur ! C'était peut-être une espèce de chasseur, plus terrible que les fauves. Un fou, trop gavé de mauvais films et qui se la jouait vraiment. Un chasseur qui l'aurait choisie ! Pour Nagham, c'était la pire des hypothèses. Aucun raisonnement, aucun argument ne saurait le faire reculer.

De Gros Didier, elle ne pouvait attendre le moindre secours. Sa carrure de pachyderme et son caractère « plus cool que moi, t'es mort » ne risquaient pas de le lancer dans une tentative de sauvetage. Il n'avait même pas dû remarquer l'absence de lumière dans la station-service en passant, alors le temps qu'il pige quelque chose à la situation, le fou les aurait fait disparaître dix fois...

Comment fonctionnait cette saloperie de torche ?

Nagham essaya de se souvenir des explications du gérant lorsqu'il lui avait fait une démonstration. Le premier cran pour la lumière, ça, d'accord... Il y avait un autre cran de sécurité à déverrouiller puis deux boutons-poussoirs à enfoncer en même temps. Impossible, il lui fallait ses deux mains ! Elle savait qu'elle ne devrait pas se trouver dans le champ de projection. Impossible, l'homme et elle étaient soudés par une pression qui ne s'atténuait pas !

– Qui est-ce ? lui souffla Stanislas à l'oreille.

– Mon collègue, c'est juste mon collègue !

Une clef tourna dans la serrure de la porte blindée, à quelques mètres d'eux.

Il fit clair dans la réserve et la silhouette ronde de Gros Didier et celle de son scooter se découpèrent dans le rectangle de jour.

Le canon interrompit son baiser sur le cou de Nagham pour aller se pointer sur l'étudiant retardataire qui, d'une main, s'énervait sur l'interrupteur, et de l'autre tentait de maintenir tant bien que mal sa bécane en équilibre.

– Merde ! Y a pas de lumière ! maugréa Gros Didier.

– Pas de lumière, mais de la visite ! s'exclama Stanislas en sortant de sa cachette avec Nagham en bouclier. Avance tranquillement par ici et laisse tomber ton scooter !

– Eh, ça va pas ! ? C'est que j'y tiens, à ma bécane ! Attendez, je vais la poser contre le mur !

Gros Didier n'était vraiment pas de la première fraîcheur ce matin-là. Il avait émergé d'une de ses fêtes mémorables une heure auparavant et, l'esprit trop imbibé d'alcool – et peut-être pas d'alcool seulement –, il avait pris le chemin de son boulot. Qu'il soit arrivé entier à la station-service tenait du miracle, qu'il débarque dans cet état lamentable était une aubaine pour Stanislas. Le froid de la route n'était pas parvenu à le dégriser. Aujourd'hui, plus que d'habitude, son collègue de malheur était une loque titubante, Nagham sut qu'il ne lui serait d'aucun secours.

En observant Gros Didier actionner maladroitement la béquille de son scooter, Stanislas desserra un peu son étreinte sur sa prisonnière. La main qui tenait la torche fut libre. Désespérée, Nagham envoya violemment l'extrémité élargie de la lampe en l'air et atteignit Stanislas en plein front. La rondelle de protection explosa sur le coup et un petit morceau de verre resta planté dans la tempe de la jeune femme. Poussant un cri de surprise et de douleur, Stanislas lâcha Nagham qui en profita aussitôt pour s'enfuir en direction de la porte blindée. Gros Didier la regarda passer sans réagir et sans comprendre. Stanislas avait lâché Nagham mais pas son automatique.

– Attendez, c'est quoi, tout ce bazar... fit l'alcoolique d'une voix pâteuse. C'est pas cool...

La tête de Nagham éclata dès la première balle. L'impact sonna un abominable coup de gong sur le revêtement en acier. La jeune femme s'effondra

entre le scooter de Gros Didier complètement lar-
gué et la porte qu'elle ne franchirait jamais.

– Toi, viens ici !

– Mais c'est quoi... qu'est-ce qui se passe ? balbutia Gros Didier que rien ne semblait pouvoir
dégriser.

Il distinguait mal Saint-Avril dans la pénombre.

– C'est rien, juste un jeu ! rit tranquillement Stanislas.

Il attrapa une bouteille de whisky sur l'étagère
derrière lui et dévissa le bouchon.

– Un jeu ?

– Tiens, bois ! ordonna-t-il à Gros Didier qui
restait statufié à l'aplomb de son scooter.

– J'ai pas envie de jouer à vos conneries... ça
fout la trouille, c'est pas cool, votre truc ! maugréa
l'étudiant. Et puis j'ai pas soif, j'ai plutôt besoin
d'un café serré à mort !

– J'ai dit : bois ! T'entends ? Tu bois ! hurla
Stanislas en lui balançant un grand coup de tête
dans le menton.

L'autre partit en arrière et Stanislas le rattrapa
pour lui fourrer le goulot de la bouteille dans la
bouche.

Il lui fit avaler de force un bon quart de la bouteille avant de le laisser reprendre sa respiration.

– Tu l'as tuée ! fit Stanislas. Je ne sais pas pourquoi, mais tu l'as tuée.

– Qui ça ? Mais qu'est-ce qui se passe...
demanda mollement Gros Didier. Je crois qu'il faut
que je m'assoie...

– Tu l'as tuée... répéta Saint-Avril avant de replonger le goulot dans le gosier de son interlocuteur accroupi par terre.

En le forçant, autoritaire, il réussit en quelques minutes à lui faire terminer la bouteille.

– Tu l'as tuée, comme tu as tué le chien !

– Quel chien...? J'ai pas de chien... protesta lamentablement l'autre.

– Tout ça pour rafler la caisse de la station ! insista Stanislas, persuasif. Tu l'as tuée ! Tu entends ? Tu l'as tuée !

Il répéta plusieurs fois cette accusation. C'était un refrain qui peu à peu se tatouait dans l'esprit embrouillé de Gros Didier. Stanislas chantait toujours ce même mensonge lorsqu'il se releva pour attraper une deuxième bouteille. Il continua méthodiquement à saouler Gros Didier tout en lui soufflant sa culpabilité à l'oreille. La moitié de l'alcool sortait d'entre les lèvres de l'étudiant, mais, servile, celui-ci tétait malgré tout au goulot. Il avait depuis longtemps abdiqué, et lorsqu'il fondit en larmes et déclara : *Je voulais tuer personne... Nagham... réveille-toi ! Je voulais pas...* Stanislas sentit qu'il pouvait le laisser continuer à boire tout seul, à son propre rythme.

Alors il sortit les billets de sa poche pour les fourrer dans celle du blouson de Gros Didier. Un morceau de papier tomba par terre. Il le ramassa dans la pénombre et reconnut la carte de visite de Joël Steinberg. Excellent ! Magnifique ! Les hasards sont parfois généreux et aussi géniaux que moi, pensa Saint-Avril. Non seulement ce gros lard ivre mort allait être accusé du meurtre de Nagham, mais voilà qu'il venait de trouver le moyen de lui faire endosser celui du psy. La carte rejoignit aussitôt les billets dans la poche de Gros Didier. Anéanti, ce dernier s'était allongé à même le sol, le nez à quelques centimètres du corps de la jeune femme. De violents sursauts agitaient son ventre qu'il tenait d'une main. Sa bouche était toujours collée à la bouteille de whisky qui se vidait sur son col.

– Et Steinberg, le psychiatre, Joël Steinberg aussi, tu l'as tué! Joël Steinberg, tu te souviendras! Tu es aussi l'assassin de Joël Steinberg! répéta-t-il.

Gros Didier n'entendait plus rien. Il n'était plus qu'une épave. Il dormait le visage plongé dans un mélange de bave et d'alcool, peut-être déjà dans un coma éthylique. Si proche déjà de l'agonie.

Stanislas n'avait plus qu'un détail à ajouter à son nouveau chef-d'œuvre. Le point d'orgue à la partition, la touche finale au tableau, celle qui métamorphoserait son méfait en crime parfait. Il plaça son Smith et Wesson dans la main droite du jeune homme et, guidant l'index de sa victime, tira une autre balle dans le mur, à gauche de la porte. Il fallait qu'on puisse retrouver des traces de poudre sur les doigts de cette marionnette de Gros Didier qui avait tant de mal à respirer.

*

Le soleil tentait de faire oublier le froid quand Stanislas reprit sa voiture. D'une pichenette efficace, il envoya Lara Fabian beugler ses niaiseries dans l'autoradio qui prépara ses baffles au supplice. Pour chasser l'odeur de whisky, il ouvrit en grand la fenêtre et retira ses gants qu'il avait gardés depuis son arrivée dans la station-service. Il démarra en pensant qu'effectivement tout était parfait.

Tout! Son crime, la lumière sur l'estuaire, le temps, la chanteuse hurlante, les deux fois 30 watts de son équipement stéréo! Parfait... et lui surtout, bien entendu, lui d'abord!

6
Coup de rouge

Lara Fabian semblait en vouloir à la terre entière. Une histoire de cœur qui visiblement avait très mal tourné avec son chéri d'amour. Apparemment, le type avait préféré l'abandonner pour le regard profond d'une brunette délicate. Enfin, c'est ce qu'on comprenait.

Pour la peau d'une p'tite aventurière aux yeux sombres
Tu as balayé nos hiers, fait de notre avenir une ombre
Qui saura te dire que sans moi, ta vie chavire
Pas elle, qui ne sera jamais capitaine de ton navire...

Et si ce n'était qu'une chanson, elle la chantait vraiment si fort qu'on était au courant de ses malheurs à des kilomètres à la ronde. À l'entendre crier de la sorte, on se prenait de sympathie pour l'amant infidèle. On comprenait que face aux vociférations de la chanteuse, n'importe quelle « p'tite brunette » représentait sérénité et vacances et qu'il valait mieux saborder son bateau que de laisser à la barre une telle sirène de brume.

— Ferme cette fenêtre ! Il fait froid !

— ... moi, j'ai pas froid...

— N'empêche que je te demande, « quand même, s'il te plaît », de fermer ta fenêtre, sinon ça ne sert à rien que je mette en marche la climatisation dans la voiture !

C'est vrai que le soleil ne faisait que semblant de réchauffer l'atmosphère sur cette route entre Nantes et l'Atlantique. L'atmosphère extérieure... car pour ce qu'il en était de l'ambiance dans cette voiture, elle était carrément glaciale, et l'autre hurleuse d'amour dans le poste n'arrangeait vraiment rien...

Le flash d'informations locales qui suivit la prestation de la chanteuse abandonnée avait des tonalités aussi lugubres que l'humeur générale.

Il s'ouvrit sur la météo.

L'accalmie du matin ne serait que de courte durée, des précipitations de neige étaient attendues en milieu d'après-midi sur tout le département. On recommandait aux automobilistes d'éviter – dans la mesure du possible – de prendre la route dans la soirée. Un expert se lança dans des statistiques laborieuses pour affirmer que des chutes de neige semblables à celles de ces derniers jours sur la région ne s'étaient produites qu'à trois reprises en un siècle.

Le chroniqueur sportif de la station expliqua qu'on ne savait pas encore si le choc « Nantes-

Bordeaux », prévu en début de soirée au stade de la Beaujoire, pourrait avoir lieu étant donné l'état du terrain. L'explosion du cabinet de Joël Steinberg fit l'objet d'une brève aussi courte que la disparition d'un adolescent nantais la veille. Fugue ou enlèvement ? France Bleue Loire-Océan ne tranchait pas. Pas plus au sujet de l'accident de la rue de la Grange au Loup. Pour le reste, le journaliste évoqua les nouvelles fuites du pétrolier *Érika* coulé deux mois auparavant au large de la Bretagne, et qui promettait aux habitants de la Côte d'Amour – au nord de l'estuaire – et de la Côte de Jade – au sud – de prochains week-ends de concours de châteaux de fuel visqueux sur leurs plages et leurs rochers.

« Et pour l'anniversaire de Stéphane, de la part de son Isabelle ; de Jeannine et son Jean-Benoît de toujours et leur anniversaire de rencontre ; de la part de Raymond pour toute l'équipe de la station et aussi pour lui-même... Voici Alain Souchon qui nous invite à nous plonger dans les délices de sa Foule sentimentale.

Le conducteur éteignit le poste dès les premières mesures de la chanson et décida à nouveau de rompre le silence.

– Une question, comme ça, au passage... tu comptes nous tirer cette tête tout le week-end ? fit-il en jetant un œil mauvais dans son rétroviseur intérieur.

– ... Quelle tête ?... bougonna Fabrice à l'arrière sans chercher à croiser le regard de son père.

M. Concellis haussa imperceptiblement les épaules.

– C'est à un mariage, pas à une sépulture, que nous allons ! Tu nous fais une tête d'enterrement ! Voilà quelle tête !

À ses côtés, Françoise Concellis, dans son tailleur en ottoman crème surpiqué de soie brune, soupira profondément. Elle aussi semblait aller à un enterrement. Sa longue séance de maquillage du matin n'avait pas réussi à faire disparaître les larges cernes qui soulignaient ses yeux beaucoup mieux que son fard à paupières. Sa toilette était parfaite : un grand châle de coton damassé couvrait ses épaules, deux boucles d'oreilles aux éclats de diamants rehaussaient son visage gracieux, mais ses cheveux avaient perdu tout éclat. La fumée dans la maison et le shampooing de la veille avaient balayé les deux heures de travail de sa coiffeuse. La mise en plis s'était muée en une mise en épis, et les boucles n'avaient plus les délicats arrondis espérés.

Françoise soupira encore. Après avoir jeté un coup d'œil implorant vers son mari, elle laissa repartir son regard vers l'horizon monotone de la route. Elle attendait que Patrick intervienne, s'énerve un peu, sermonne, arrange les choses et sauve le week-end, mais Patrick semblait être retombé dans le même silence. M. Concellis faisait rarement dans le style impératif. Souvent « *absent pour affaires* », comme on dit, il vivait dans un univers plus virtuel que concret. Françoise avait espéré récupérer le matin, à la gare de Nantes, un relais d'autorité pour son fils ; elle avait juste retrouvé son mari, exténué par une semaine trop chargée à Paris. Hier soir, au téléphone, elle lui avait raconté les prouesses culinaires de leur Fabrice, mais tout en parlant, elle sentait qu'au bout du fil il demeurait scotché sur ses problèmes de contrats toujours pas signés en Pologne et en Tchéquie. Les exploits de pyromane de leur adolescent de fils ne résonnaient pas aux oreilles de Patrick Concellis.

Créer de nouveaux sites Internet afin de les vendre à des tas de petites sociétés craignant de passer à côté du raz de marée du marché Internet, ça, il savait faire. Très bien, d'ailleurs. Par contre, avoir une explication avec Fabrice, prendre vraiment sa place, c'était une tout autre paire de manches. Se préparer pour un mariage aussi. Quand Françoise l'avait vu descendre du T.G.V., pas même rasé, dans son costume de la semaine, là encore elle avait soupiré.

– Je me raserai et mettrai mon costume chez Muriel, ça ne me prendra que quelques minutes ! Toi, par contre, tu es ravissante, ma chérie ! avait-il déclaré sans même remarquer la fatigue qui dédicaçait si visiblement les yeux de sa femme.

Assis à l'arrière, Fabrice, après avoir daigné fermer sa fenêtre et ranger sa game boy dans son sac à dos, ruminait sa rancœur. Étant donné la façon dont il l'attisait, pour lui, la vengeance était un plat qui se dévorait brûlant. Ce samedi matin, il n'en doutait pas, Garance, Benoît, tous les autres se préparaient pour la fête des jumeaux, et lui, lamentablement, s'éloignait d'eux pour aller faire bonne figure au mariage d'une cousine qu'il aimait bien, certes, mais tellement moins que sa Garance.

– Il faudrait que je prenne de l'essence ! fit son père en indiquant du menton – bleui de barbe – le panneau qui annonçait une station Elf à cinq kilomètres.

Juste quelques mots qui clignotèrent dans l'esprit rebelle et revanchard de Fabrice, des mots qui laissèrent éclore une idée, une sale idée !

Comment naissent-elles, ces idées mauvaises ? Probablement comme les autres. Elles voyagent sur des chemins hasardeux et chaotiques, cette fois-ci bordés de neige, la plupart se perdent en route, on ne sait plus les retrouver, et heureusement ; mais parfois, hélas, elles sortent indemnes de la jungle de nos esprits et déboulent fièrement sur des artères larges et fluides. Alors, là, elles prennent de la vitesse et se mettent au service des plans les plus diaboliques.

Son père allait s'arrêter prendre de l'essence, voilà la petite touche qui manquait à Fabrice Concellis.

*

– Tu vois bien qu'elle est fermée, cette station-service ! C'est tout éteint !

– Il y a une voiture ! constata M. Concellis en
désignant la 306 garée sur l'une des pistes.

– En tout cas, ça a l'air fermé, il n'y a personne !
Même dans le magasin ! Regarde, même les
pompes sont éteintes ! J'espère que nous n'allons
pas tomber en panne...

– Mais non, il me reste assez pour aller jusqu'au
Croisic ! Seulement, je préférais prendre mes pré-
cautions avant d'arriver !

– C'est ça, oui, pour l'essence tu prends tes pré-
cautions, par contre pour te préparer, tu attends le
dernier moment pour t'en préoc... !

– Françoise, ne m'énerve pas ! Le plein, tu
aurais pu le faire toi-même avant de venir me chercher à la gare, ou alors, hier soir !

– Hier soir ? ! Tu vois, hier soir, j'ai joué les
pompiers pour que tu nous retrouves vivants ce
matin ! cracha Mme Concellis, outrée par tant
d'injustice.

– Désolé, chérie... j'avais oublié, bredouilla le
chauffeur en remettant le moteur en route.

– Oublier ! Voilà bien le seul verbe que vous
savez conjuguer dans cette maison ! Moi, il faut que
je pense à tout... Ton fils *oublie* de ranger sa
chambre ; *oublie* la poêle qu'il a posée sur le gaz ;
oublie le mariage de sa cousine ! Et toi, tu *oublies*
que...

Quelque chose claqua non loin de leur voiture.
Dans leur dos, quelque chose qui semblait venir de
l'intérieur de la station et qui explosa suffisamment

fort pour qu'ils l'entendent tous les trois, et interrompe net la tirade plaintive de Mme Concellis.

– C'est quoi, ça ? C'est pas la voiture au moins ? demanda-t-elle en tournant un œil inquiet vers son mari.

– Non... Enfin, je ne crois pas ! fit celui-ci avec le même ton. À mon avis, c'est un coup de fusil de chasseur, affirma-t-il aussitôt, beaucoup plus rassurant.

La voiture s'engageait vers la bretelle d'accès à la voie rapide lorsque retentit le second coup de feu. Les trois Concellis l'entendirent.

– Tu vois bien ce que je te disais, ce sont des chasseurs !

– Je trouve qu'ils chassent drôlement près de la route... Cela devrait être interdit !

– Avoue que tu as cru que des pirates de la route allaient nous attaquer et te détrousser de tes bijoux... ricana M. Concellis.

– Un coup de feu... je ne trouve pas ça rassurant, vois-tu ! Deux, encore moins ! Fabrice, peux-tu me passer mon sac à côté de toi ?

Françoise Concellis attrapa son sac sans se retourner pour y puiser son poudrier et son tube de rouge à lèvres. En utilisant le miroir de courtoisie du pare-soleil, elle entreprit de redonner un peu de vigueur à son maquillage et colora ses lèvres en carmin. Enfin, elle tira une paire de lunettes de soleil du fond de son sac pour protéger ses yeux de la réverbération de la neige et s'enfonça davantage dans son siège. Elle n'écoutait plus son mari qui s'était embarqué dans un récit fastidieux et lourd de digressions au sujet de ses tractations laborieuses de la semaine avec les Polonais.

Fabrice non plus ne l'écoutait pas. Toujours avec le même air mortifié, il regardait vaguement défiler le paysage. La route, à cet endroit, grimpait un peu et, lorsqu'on passait la côte, durant une ou deux minutes à peine, on distinguait tout l'estuaire jusqu'aux brûleurs de la raffinerie de Donges et même l'arc et les deux flèches du grand pont de Saint-Nazaire. D'habitude, il guettait ce moment, s'imaginant capable de découvrir de si loin les silhouettes imposantes des paquebots de croisière en construction aux chantiers de l'Atlantique. Pas aujourd'hui. Il rata le spectacle délibérément, par dépit, et ne pensa même pas à jeter un coup d'œil à l'horizon.

Mortel ! Tout était mortel !

Cette route sur laquelle à peine une quinzaine de voitures les avaient doublés ; ce mariage et cette profusion de bouffe trop grasse et de famille trop collante d'affection qui l'attendaient là-bas ; ses parents et leurs disputes qui n'explosaient jamais et se bornaient à de petites joutes oratoires et à fleuret moucheté ; et puis surtout son absence auprès de Garance, tout était mortel ! Les coups de feu des chasseurs auraient été les seuls reliefs de ce trajet. En plus, pour comble de malchance, ils ne s'étaient pas arrêtés comme prévu à la station-service, il n'avait pas pu se faire passer pour une pauvre victime... car Fabrice Concellis, il ne faut pas croire, ruminait toujours son projet de se venger de ses parents.

Oui, c'est cela, il ruminait en silence. Il rongeait de plus en plus amèrement, jusqu'à l'écœurement, son petit frein d'adolescent vexé.

Mais à force d'être rongés, les freins finissent par céder. Le hasard alors s'amuse à accorder à de tout petits riens le pouvoir de provoquer de terribles accidents.

Est-ce le garçon kidnappé dont avait parlé à deux reprises le journaliste de Radio-France ? Ou alors les coups de feu au milieu de cette route trop déserte et enneigée ? Peut-être est-ce l'allusion de son père aux bandits de grand chemin ? Ou bien le tube de rouge à lèvres que sa mère avait remis dans le sac qu'elle lui tendait pour qu'il le replace derrière, à côté de lui ?

De cet ensemble, qu'est-ce qui déclencha l'idée maléfique de Fabrice et lui permit de lancer sa vengeance ? Un peu de tout cela, sans doute. Le hasard n'a besoin que de quelques pincées d'épices pour déchaîner des feux d'enfer. L'amertume du garçon hurlait : « *Garance ne t'attendra pas toute ta vie. Ce soir, elle pourrait bien flasher sur un autre qui danse mieux les slows que toi...* »

Sa mère semblait somnoler devant. Son père s'était tu, il n'avait d'yeux que pour la route et de pensées que pour ses Polonais. Fabrice sortit discrètement le tube de rouge à lèvres du sac, et, sur la vitre passager gauche, en s'appliquant, traça en grosses majuscules, et à l'envers :

.S.O.S.

JE SUIS KIDNAPPÉ

.S.O.S.

Voilà, il allait leur faire honte ! Une honte gigantesque ! Ce n'était pas bien important au regard du cataclysme de sa fête ratée, mais tout de même, si les flics patrouillaient sur cette route et voyaient son message, ses parents allaient passer un sale moment. Il n'y avait pas de raison qu'il soit le seul à gâcher son week-end...

Seulement parfois, hélas, le hasard sait lire les graffitis carmin. Il a alors si peu à faire pour les transformer en lettres de sang.

7
Coup de boutoir

Il n'avait pas raté le spectacle de l'estuaire se dévoilant à lui alors qu'il dépassait le haut de la côte de Savenay. À l'horizon, le grand fleuve se confondait avec les lignes douces du ciel. Juste une touche légèrement grise délimitait l'eau, des digues et des arbres. Le paysage enneigé tentait de se donner des allures de peinture flamande, mais au sud, les cheminées et les tubulures anarchiques de la raffinerie de Donges ressemblaient bien davantage aux ruines d'un univers futuriste qu'à des moulins de la mer du Nord. Et pour ce qu'il en était des chantiers navals, il était bien trop loin pour les distinguer ou même les deviner.

Il songea avec mélancolie qu'il avait dû sacrifier son Smith et Wesson afin que son chef-d'œuvre à la station-service soit irréprochable. Il pensa malgré tout que c'était le week-end et que tout allait bien.

Il profiterait sans compter de la maison de sa mère à La Baule et prévoyait une sortie en boîte ce soir au *Memphis*, entre Guérande et Le Pouliguen. Ouais, la vie était belle. Il avait déjà oublié le prénom de Nagham, celui de Didier ne tarderait pas à s'effacer de sa mémoire, il ne voulait conserver que le souvenir de la maestria avec laquelle il avait géré son passage à la station-service.

Depuis deux kilomètres, il lorgnait sur les feux arrière de la Golf blanche qui le précédait assez loin devant. Il accrocha son regard à ces deux lumières rouges qui lui ouvraient la route et décida – Stanislas adorait se donner des défis relativement faciles – qu'il aurait dépassé cette voiture plus puissante que la sienne avant l'échangeur de Saint-Nazaire, dans quelques kilomètres. Son pied s'enfonça de trois centimètres dans la pédale d'accélérateur.

Son retard fondit dans la neige mètre à mètre. Là, Stanislas de Saint-Avril n'était plus un légendaire justicier, il se prenait pour un champion automobile. Pour chaque chose qu'il entreprenait, il considérait être le meilleur. Certain de son charme, de sa puissance, de son droit, conscient aussi de la fortune dont lui faisaient bénéficier les largesses de sa mère, il avait toujours avancé comme un conquérant. Et c'est en conquérant qu'il rattrapa la Golf.

Dans l'autoradio, Lara Fabian, qui terminait la dernière chanson de la première face de la cassette, semblait l'avoir encouragé à se dépasser. Le hasard en avait-il assez d'entendre la vedette user les baffles de Stanislas ? Nul ne le sait ! Mais alors qu'il s'engageait dans la file de gauche pour doubler la vieille Golf, la cassette arrivant à son terme déclencha la mise en route de la radio qui diffusait un flash d'informations. On rappelait que les routes du département étaient dangereuses, que le match du soir Nantes-Bordeaux était remis à une date ultérieure, et que la police recherchait toujours la trace de cet adolescent disparu.

Et c'est à cet instant qu'il se plaça à la hauteur de la Golf...

Il ne vit d'abord qu'une trace sur la vitre latérale arrière. Une trace rouge. Il n'y porta guère attention. Il vit la passagère à l'avant. Avachie sur son siège et ses lunettes de soleil bien enfoncées sur ses yeux, elle semblait dormir. Il vit aussi le conducteur. L'homme lui jeta un regard sec et rapide. Mal rasé, le type, sale tête, décida Stanislas. Ils roulèrent une quinzaine de secondes côte à côte. La voiture des Concellis ne ralentissant pas, Stanislas prenant garde à ne pas déraper se rabattit à droite, derrière la Golf, la voie sur laquelle il roulait étant beaucoup moins dégagée. C'est alors que la vieille Golf blanche regagnait un peu de terrain sur la 306 qu'il put lire l'inscription sur la vitre. Il aperçut le jeune garçon qui, constatant son étonnement, lui fit un signe de tête.

Fabrice désigna discrètement à Stanislas ses parents à l'avant et mima d'une main un appel téléphonique tout en montrant de l'autre le S.O.S. tracé devant son visage. Les gestes étaient clairs. Il demandait au chauffeur de la 306 de prévenir la police.

Mais lui, Stanislas de Saint-Avril, n'était-il pas déjà la police ?

Ils avaient vraiment de sales gueules, les deux à l'avant ! L'un mal rasé, l'autre coiffée n'importe comment et cachant son visage sous des lunettes noires... Parfois le hasard s'amuse à donner des signes trop lisibles. Les simples et les ordures les déchiffrent sans problème et croient avoir touché du doigt la carte du trésor, alors qu'il ne faudrait même pas se baisser pour creuser. Le hasard est joueur, il ne sait pas s'arrêter. Certains sales gosses sont pareils !

*

Stanislas ne s'arrêta pas. Il ralentit afin de laisser la Golf reprendre la tête, puis resta collé à l'arrière, en chasseur. Complice, le « pauvre » adolescent de temps en temps se retournait pour lui adresser les mêmes signes discrets mais explicites. Appeler la police !

— Ne t'inquiète pas, mon garçon ! Je vais te sortir de ce pétrin ! murmura Stanislas en coupant le sifflet à la radio qui diffusait maintenant un solo de guitare.

Le tirer de là et se présenter au grand jour sous les traits d'un héroïque sauveteur. Voilà qui était non seulement à sa mesure, mais qui lui apparaissait comme un signe clair et puissant du destin. Il réfléchit. L'ennui, c'est qu'il n'avait plus son cher

Smith et Wesson pour régler l'affaire comme il l'entendait ; mais bon, il était un artiste ou pas ? Les grands chefs peuvent très bien se passer de baguette pour diriger leurs orchestres symphoniques. Alors : « Maestro, musique ! »

– Et pourquoi il me colle comme ça, ce con ! ? marmonna Patrick Concellis en jetant une série de regards assassins dans son rétroviseur.

– Qu'est-ce que tu dis ? fit, vasouillarde, Mme Concellis en émergeant de sa torpeur et en relevant un peu la tête.

– Il n'a qu'à doubler, s'il veut passer ! Il me suce le pare-chocs depuis trois kilomètres !

Mollement, Françoise Concellis se retourna pour constater le problème. C'est alors qu'elle découvrit l'inscription à l'envers sur la vitre de son fils. Elle tenta de la déchiffrer.

– Qu'est-ce que... ? eut-elle juste le temps de balbutier.

– Bon Dieu, le con !

Le cri de Concellis couvrit la voix de sa femme, pas le bruit du choc.

La 306 venait de taper l'arrière de la Golf, la poussant en avant comme pour un hoquet violent. Les trois passagers hurlèrent de surprise en même temps. Les appuis-tête encaissèrent les nuques sans bobos.

Concellis réussit à reprendre le contrôle de son véhicule. Il commença à accélérer pour se mettre hors d'atteinte du fou qui l'agressait, lorsque, beaucoup plus brutal que le premier, le second coup de boutoir projeta son véhicule en avant et plus loin.

Cette fois-ci, incontrôlable, la voiture dérapa sur la route en descente et trop humide. Elle perdit d'abord son aile arrière sur la rambarde centrale puis alla rebondir sur la glissière extérieure. Toupie folle, la Golf partit dans un premier tête-à-queue et prit de la vitesse en valdinguant entre ces deux rails de sécurité qui lacérèrent ses ailes et firent exploser ses vitres. Après un second tête-à-queue (plutôt un queue-à-tête qui libéra le capot moteur du reste de la carrosserie), ses roues gauches décollèrent du bitume. La voiture sauta la glissière et s'éleva de deux bons mètres pour basculer au-dessus du talus, à droite de la route. Elle fit cinq ou six tonneaux – Stanislas ne réussit pas à les compter – avant de s'immobiliser enfin, sur le toit, à une soixantaine de mètres de la voie rapide. Seules trois de ses roues imploraient le ciel quand elle arrêta enfin sa course dramatique. La quatrième roue avait volé, haut, pour finir par scalper deux branches supérieures d'un chêne qui, non loin de là, se désintéressait totalement du carnage.

Saint-Avril, par contre, ne rata rien du spectacle. Comment dire, comment oser dire qu'il adora sincèrement en être l'unique et privilégié spectateur ? Et encore, spectateur n'est pas le terme qui convient. Car, toujours assis au volant de sa voiture, il n'observa pas l'accident comme un simple invité, confortablement installé dans son fauteuil au cinéma ou dans sa loge au théâtre. Gourmand, Stanislas l'apprécia comme un metteur en scène, rassuré que son effet spécial ait parfaitement fonctionné. De sa place de choix – prudemment en retrait, il avait garé sa 306 sur la bande d'arrêt d'urgence dès le début du dérapage de la Golf –, il détailla tout avec un réel plaisir et attendit quelques instants avant d'entrer à son tour en scène.

Considérant que le moindre risque d'explosion était écarté, il sauta hors de son véhicule pour courir vers ce qui restait de la voiture des Concellis. Là, il n'était plus ni metteur en scène, ni même flic stagiaire, il se sentait justicier et solitaire, héroïque et invulnérable. Son Smith et Wesson lui manquait pour correspondre complètement à l'image, mais lorsqu'il arriva à la hauteur de l'épave, il se rendit compte que son arme lui aurait été inutile.

Le menton posé contre son thorax, le front collé sur le haut du volant, le dos bien arrondi, Patrick Concellis semblait dormir. Dormir très profondément, car le volant s'était brisé en deux, et l'une des extrémités du morceau principal, celui qui retenait le front du conducteur, était enfoncée dans son épaule gauche. Par cette blessure béante s'écoulait un ruisselet de sang qui terminait sa course sur les vestiges du siège. Un petit affluent aussi rouge sortait de son oreille droite et sillonnait tranquillement, écarlate, jusqu'au pommeau du levier de vitesse. Dormir... si on peut dire.

À droite du dormeur, sa femme avait trouvé un énorme oreiller pour sa sieste. Son airbag à elle s'était déclenché et cachait le visage de Françoise. Là, pas de rivière de sang sur le visage, mais un bras droit qui pendait dans un angle impossible par où aurait dû se trouver la portière, et puis un humérus qui sortait de ce qui aurait dû être une simple épaule. Vu la tache de sang, le teinturier allait avoir du mal à récupérer le tailleur crème...

Françoise laissa échapper un râle inaudible. Sa respiration était imperceptible. Il fallait redresser sa tête pour qu'elle ne s'étouffe pas et peut-être ainsi lui sauver la vie. Stanislas hésita. Il réfléchit, laissant encore passer quelques râles lugubres.

S'il se décida enfin à attraper Françoise par les cheveux et à la faire basculer sur le dossier du siège, ce n'est qu'après avoir cogité sévèrement à sa stratégie. Dans l'hypothèse où les deux kidnappeurs mourraient, son triomphe se cantonnerait au banal sauvetage de l'adolescent. Par contre, en sauvant cette femme, il permettait à la police de mettre la main sur une coupable. Justicier et sauveteur, c'était tout de même beaucoup plus glorieux que simple sauveteur.

Oui, mais, sauveteur de qui ? Car lorsqu'il se dirigea vers l'arrière de la voiture, Stanislas ne trouva pas l'adolescent.

Aussi étonnant que cela puisse paraître, Saint-Avril ne s'était pas rendu compte immédiatement de son absence. Après avoir extrait la tête de Françoise de l'airbag, il avait été saisi par le regard de la femme. Un regard encore si vivant. Comme si elle avait placé tout ce qu'il lui restait de force dans ses yeux grands ouverts. Des yeux qui imploraient à l'aide, hurlaient la douleur et peut-être demandaient à cet inconnu accouru pour les sauver où était son fils. Hypnotisé par la force de ce regard, Stanislas en avait oublié un instant l'objet de toute sa manœuvre.

Pas de même dans la bagnole ? Stanislas se mit à paniquer. Une voiture pouvait passer sur la route. De là, la Golf accidentée était difficilement repérable, mais sa propre voiture garée sur la bande d'arrêt d'urgence pouvait attirer l'attention. Le gosse avait dû être éjecté pendant les tonneaux. Il fallait chercher, mais c'était s'attarder trop longtemps, augmenter les risques d'être découvert. Stanislas procéda rapidement, par cercles de plus en plus larges autour de la voiture. Il se désespéra vite, commença à jurer, à détester ce môme qui était allé valdinguer dans la neige, mais où, bon Dieu de merde, où donc ? Il s'apprêtait à courir récupérer sa 306 pour la garer plus loin quand il comprit enfin que ce qu'il avait pris d'abord pour la portière avant de la Golf, là-bas à trente mètres, au pied du chêne solitaire et à côté de la quatrième roue, n'était rien d'autre que ce pauvre garçon qui avait fait appel à lui.

Fabrice n'était qu'évanoui et un peu bleui par son court séjour dans la neige. Stanislas attrapa le corps par les épaules et le chargea sur son dos. Il s'enfonça aussitôt dans la poudreuse jusqu'à mi-mollet. Il ne put porter ainsi ce poids sur une vingtaine de mètres et termina en le tirant vigoureusement jusqu'à sa voiture. Les pieds de Fabrice tracèrent deux longues lignes parallèles dans la lande immaculée.

Quand il le déposa sur le siège arrière, l'adolescent, en reprenant conscience, balbutia un « Maman » aphone.

- T'inquiète pas, mon garçon, tu vas la retrouver, ta maman ! T'es tiré d'affaire ! répondit Stanislas d'un ton qui se voulait rassurant.

Au volant, il relança son moteur.

– Maman... répéta Fabrice, en regardant vaguement en direction de la route qui commençait à défiler.

La ventilation du chauffage rugissant au maximum empêcha Stanislas de Saint-Avril de l'entendre. Parfois le hasard est aussi sourd qu'aveugle.

8
Coup de blanc

Le chauffage ou la fièvre ?

La chaleur commençait à prendre possession de la pièce. Le regard perdu vers la fenêtre, il fixa son attention sur une plaque de neige qui doucement glissait d'une grosse branche de pin dans le jardin. Avec intensité, il regarda cette langue blanche qui ne semblait pas pressée pour dégringoler de son piédestal. Son crâne était en feu. Une ligne incandescente lui barrait le front et le moindre mouvement attisait davantage encore l'incendie. Dans son esprit embrumé, seule la plaque de neige décorant le conifère semblait pouvoir venir à bout de sa fièvre. Si elle tombait – dehors –, ce serait immanquablement sur son crâne – dans la maison –, et la douleur serait peut-être alors atténuée. Ce n'était pas bien clair dans son esprit, mais Fabrice voguait depuis un moment sur un territoire imprécis entre réalité et cauchemar. Il se souvenait d'une voiture, mais aurait été incapable de dire s'il s'agissait d'une Golf ou d'une 306 et là, dans ce salon meublé de vieilleries bretonnes imposantes en bois sombre, il ne savait pas où il se trouvait. Non seulement parce qu'il n'y avait jamais mis les pieds, mais parce que, dans son état, Fabrice s'imaginait être aussi bien juché sur la plaque de neige, assis sur le siège arrière d'une voiture, qu'allongé sur la banquette de ce salon inconnu. Il était à la fois le dehors et le dedans. Sa lucidité pointait par vagues puis brusquement, s'émoussait et laissait place au délire. D'ailleurs, il n'était pas tout le temps certain d'être Fabrice.

Tiens, à propos, où était-elle, la voiture de ses parents ? Et eux, déjà au mariage ? Voilà, de cela, il se souvenait ! Il devait y avoir un mariage. Mais de qui ? Était-ce celui de ses parents ou un autre ? Pas le sien, en tout cas... Enfin, il n'était sûr de rien. De toute façon, c'est la plaque de neige fondant de l'autre côté de la vitre qui décidait...

La plaque et peut-être ce type.

Une heure ou cinq minutes auparavant – il était incapable d'évaluer ce laps de temps –, avec toute la délicatesse d'une infirmière débutante, l'homme l'avait aidé à marcher du garage jusqu'à cette banquette dans le salon. Depuis, la maison ronronnait. La chaudière, sans doute. Malgré l'éruption volcanique qui couvait dans sa tête, Fabrice tremblait de froid. Les doigts de ses pieds et de ses mains lui faisaient atrocement mal, et ses membres paraissaient emprisonnés par un étau d'une puissance inouïe. Pourvu que la plaque de neige tombe, la fièvre suivrait peut-être.

— Je t'ai préparé un chocolat chaud !

Depuis quand l'homme était-il dans la pièce ?

Fabrice songea que s'il ne l'avait pas entendu entrer, c'est qu'il devait être drôlement bien caché sur la plaque de l'arbre.

— Ça te fera du bien. Tu as pris froid dans la neige ! insista l'inconnu en déposant un plateau sur une table basse au pied de sa banquette de douleur et de délire.

Dans la neige ? Voilà qu'on lui annonçait que lui aussi était planqué sur la branche du pin. Les connexions se faisaient difficilement.

— Vous êtes du mariage ? ânonna Fabrice sans réussir à se redresser.

— Oh là, c'est pas la grande forme, garçon !

D'office, Stanislas servit un énorme bol de chocolat fumant à son pensionnaire. Il le poussa dans sa direction avant de s'asseoir du bout des fesses à l'autre extrémité de la banquette.

— Je m'appelle Stanislas de Saint-Avril ! Tu peux dire Stan !

— Vous êtes du côté du marié... ? J'ai un de ces mal de tête ! Très mal !

— Bois, petit, ça te fera du bien ! Tu ne m'as pas dit ton prénom !

— Fabrice ! Je suis du côté de Muriel !... C'est ma cousine !... Vous la connaissez, Muriel ?... Ça me revient, c'est sa noce!... Elle est sympa, mais elle choisit mal son jour pour se marier!... Garance... il faudrait prévenir Garance... Elle, elle n'est pas que sympa... mais c'est mon affaire...! Pour elle j'ai le feu... d'ailleurs j'ai même failli cramer la maison pour elle... Faut faire gaffe au feu, la neige pourrait fondre... C'est comment, déjà, le nom de son jules, à Muriel?... Faudrait aussi prévenir ma mère sinon... elle expliquera aux jumeaux pour mon absence... à Garance aussi... Y a le téléphone sur la branche?...

Chaque mot, chaque phrase lui avait coûté de violents coups dans le crâne, seulement, parti sur sa lancée, Fabrice n'avait pas réussi à s'arrêter plus tôt. Parler lui avait fait l'effet de s'engager sur une pente qu'il avait dévalée. Chaque mot produisant une accélération, à la fin de sa tirade décousue, le garçon était épuisé et en nage.

— Tu as été très secoué, je comprends, mais c'est fini, maintenant. Tu es sauvé, Fabrice! C'est moi, Stanislas, qui t'ai sauvé la vie! Il faudra que tu saches le raconter aux policiers. Tu comprends ça, Fabrice? Il faut que tu t'en souviennes, c'est moi qui leur ai volé dans les plumes, à ces oiseaux de malheur!

Des plumes? Quels oiseaux? Décidément, il y avait drôlement de monde sur cette satanée branche.

— J'ai tellement mal, se contenta de gémir Fabrice.

124

– C'est important... pour moi ! Je t'aiderai à leur expliquer, mais c'est tellement mieux si tu leur racontes toi-même tout ce qui s'est passé ! Tout ! L'accident aussi, bien entendu ! L'accident, surtout !

– ... Vous parlez de la plaque de neige ?

Fabrice se tourna vers la fenêtre. Non, la langue blanche était toujours là, sensiblement identique, toujours coincée dans une fourche entre deux branches du pin. Elle tardait à libérer la fourche.

– Ce n'était pas une plaque de neige, garçon, c'était un assaut. Un bel assaut que j'ai mené pour te sauver. Tu verras, je te montrerai le pare-chocs de ma voiture, il a un peu morflé quand j'ai cogné, mais c'est tout à fait accessoire.

– C'est dans mon crâne que ça cogne... vachement dur, se contenta de répondre l'adolescent.

– Toi aussi tu me raconteras comment s'y sont pris tes deux kidnappeurs. L'homme et la femme ! Tu te souviens de ces deux-là, n'est-ce pas ?

– Les jumeaux ? balbutia Fabrice.

– Écoute, mon vieux, je crois que le mieux c'est que tu te reposes encore un peu ! Tout à l'heure, quand tu auras repris des forces, j'appellerai les flics, et la presse aussi, les photographes et la télé. Tu vas voir, aujourd'hui va être notre jour de gloire !

Fabrice ne comprenait rien à ce que cherchait à lui expliquer Stanislas. Il n'arrivait plus à entendre, la fièvre gagnait du terrain, la fatigue était son alliée. Les photographes dont parlait le type assis à l'autre bout de la banquette devaient être ceux du mariage, et la gloire, celle de Muriel et de son mari. Peut-être cet homme était-il d'ailleurs l'heureux élu de sa cousine, mais Fabrice en doutait. Sa lucidité s'estompait; dans son esprit embrumé, la langue de neige prenait des allures de robe de mariée, la police des uniformes de maire célébrant une cérémonie nuptiale. Doucement, Fabrice se laissa basculer dans une somnolence agitée de soubresauts nerveux. La fièvre et l'épuisement triomphaient.

Pourvu que la plaque blanche le libère de ce mal...

Mais la neige attendit que Fabrice s'endorme complètement pour recommencer à tomber par petits flocons sur le jardin de la maison de famille de Stanislas de Saint-Avril, sur La Baule, sur tout l'estuaire et sur une plaque de neige qui rapidement reprit du volume et retarda l'échéance de sa chute.

9

Coup de langue

Vertigineuses, les chutes !

Par langues entières, les plaques de neige, trop lourdes, glissaient des bords des toits et des ramures des arbres. Fruits mûrs aplatis, elles s'écrasaient au sol, discrètes. Les petits flocons de la fin de matinée se groupèrent rapidement à plusieurs pour abattre sur l'estuaire une fourrure immaculée qui étouffa la ville et le moindre bruit.

Stanislas décida qu'une demi-heure suffirait. Laisser dormir son protégé plus longtemps avant de prévenir la police pourrait paraître suspect. Il fallait que son triomphe soit à la mesure de cette étonnante lumière qui avait pris possession de La Baule et de sa baie. Une demi-heure pour s'y employer, c'était parfait.

Il mit en route la cafetière électrique sur le bar de

la cuisine et monta prendre une douche à la salle de bains du premier.

Les douches, même parfumées au vétiver vivifiant, lavent-elles les consciences? Qu'importe, celle de Stanislas était aussi tranquille que limpide et exemplaire. Joël Steinberg, Nagham Achrafié et Gros Didier étaient déjà loin. Pour lui, ils n'avaient été que de vulgaires cailloux shootés rageusement hors de son chemin de gloire. Maintenant qu'il était si proche de son triomphe et de la reconnaissance qu'il attendait, ne comptaient plus que le chauffeur mort, sa complice agonisante et surtout ce jeune garçon endormi sur la banquette, en bas, au salon. Celui-là lui devait la vie. Il serait le point d'orgue à sa partition et sa consécration.

Si les consciences ne se nettoient pas, les machines à laver se chargent des taches de sang. Aussi, après sa douche, Stanislas empoigna tous les vêtements entassés au pied de la baignoire et les jeta dans le lave-linge après avoir programmé une lessive demi-charge à 40° C, un essorage intensif et un séchage maximum. Enfin il fourra ses chaussures souillées de neige et de sang dans un sac-poubelle qu'il se promit de balancer dans une déchetterie des environs de La Baule.

En choisissant dans l'armoire de sa chambre de nouveaux vêtements, il songea que la veille au soir, après sa visite au psy et avant d'aller dîner avec sa mère, il avait lancé une autre machine, chez lui, à Nantes. Il faudrait penser à l'étendre. Il s'admira dans la glace de l'armoire et fut convaincu – mais en doutait-il parfois ? – que son allure était impeccable, que les photographes, les caméras, les journalistes qui viendraient l'assaillir n'allaient pas seulement le trouver héroïque, mais aussi particulièrement séduisant.

Quand il redescendit, le café était passé, pas encore la demi-heure accordée à Fabrice.

Installé confortablement dans le large fauteuil Voltaire de feu son père, en face de la banquette de style, tournant consciencieusement sa cuillère dans sa tasse, il observa l'adolescent. Dehors le ciel était vanille et les jardins de La Baule, chantilly. Stanislas avala une deuxième tasse après avoir noté, sur la feuille d'un bloc-notes, le numéro du bureau de police de l'avenue du Général-de-Gaulle, de l'antenne de France 3 à Nantes et des correspondances de *Ouest-France* et *Presse-Océan* sur la presqu'île guérandaise. Et comme on frappe les trois coups avant le lever du rideau au théâtre, il se racla la gorge et, sans bouger de son trône, répéta à haute voix, délicatement :

– Fabrice ! Fabrice ! C'est l'heure ! Maintenant c'est à toi de jouer ! Fabrice ! Réveille-toi ! Fabrice !

*

Est-ce que les langues de neige dévorent les autres langues de neige ? La sienne avait disparu sous de nouvelles plaques qui l'étouffaient, ou alors elle était tombée pendant son sommeil puisqu'il avait beaucoup moins mal au crâne.

Où était-il ? Qu'est-ce qu'il fichait là ?

Qui était ce type, en face de lui, qui parlait lentement comme s'il était demeuré, comme s'il avait huit ans, comme s'il était l'élève, et lui cet inconnu : un professeur ?

– ... Stanislas de Saint-Avril ! Tu es chez moi, à La Baule, dans ma maison de famille ! Tu as fait appel à moi, tu te souviens ? Tu as eu de la chance que ce soit moi et pas quelqu'un d'autre, Fabrice ! Quand j'ai lu ton message, je n'ai pas hésité une seule seconde...

– Mon message ? J'ai fait appel à vous ?... Attendez, on se connaît, nous deux ?... J'imprime pas... J'entrave que dalle à ce que vous me... !

– Je comprends, c'est tout à fait normal ! Tu as été très perturbé par l'accident, petit, très choqué ! Écoute-moi bien, toutes les polices de la région te recherchent, la presse et la radio ne parlent plus que de ta disparition depuis hier soir ! Je suppose que tes deux kidnappeurs allaient te planquer quelque part dans une villa de la côte afin d'attendre la rançon... exagéra volontiers Stanislas.

– Mes deux kidnappeurs ! ?

– Ceux que tu me désignais dans leur voiture, une Golf blanche, quand je vous ai doublés entre Nantes et Saint-Nazaire !

Une Golf blanche ?

Une Golf blanche !

Le voile se déchira brusquement !

– Oh, c'était vous ! ? C'est vous ! fit Fabrice avec un mélange sincère de panique et d'incrédulité.

Il ne revit pas tout d'un seul coup, mais l'image de Garance ne fut plus la même que celle de sa mère, la 306 de ce type se distingua de la Golf de ses parents, il différencia le mariage de Muriel de la fête des jumeaux.

L'autre, fièrement, éclata de rire en savourant la surprise du garçon et en l'entendant répéter : « *C'était donc vous !* »

Stanislas prit cet étonnement pour de l'admiration et se lança dans un récit détaillé. Il y rajouta quelques éléments invérifiables qui rendaient son attitude plus brave et plus audacieuse encore – il répétait déjà pour la presse tout à l'heure. Ces détails ne firent qu'anéantir un peu plus Fabrice.

L'homme au volant, mort !

La passagère à l'avant, blessée ! Mais blessée comment ? Blessée combien ?

Abasourdi, l'adolescent se redressa. Chaque mot de ce malade pesait des tonnes.

– Vous avez fait ça... ?

Fabrice était devenu la plaque de neige, il manquait d'air, il fallait s'envoler, disparaître, mais c'est en larmes qu'il fondit.

– Ton émotion me touche vraiment beaucoup. Maintenant tout va rentrer dans l'ordre. J'appelle la police, ils te ramèneront chez toi ! fit Stanislas en pensant que ces larmes-là lui vaudraient un joli supplément de considération.

Il ne fallait pas qu'elles sèchent trop vite parce que, franchement, ce serait dommage qu'il n'en garde pas de semblables pour les objectifs des journalistes.

Il attrapa le combiné sur le guéridon à sa droite.

*

Blanc !

Dehors la neige possédait le monde entier. Elle adoucissait les arêtes des toits, tronquait les trajectoires des branches, arrondissait les buissons, émoussait les grilles des jardins, mais pour Fabrice tout était devenu abominablement noir.

— Bon sang, vous le faites exprès ou quoi ?! s'énerva Stanislas.

Le flic de garde n'avait pas l'air de comprendre et Saint-Avril trouvait que la plaisanterie était un peu longue.

Il y eut un blanc. Stanislas était rouge de colère. Fabrice totalement perdu, transparent, anéanti.

— Fabrice, le garçon que tout le monde recherche depuis hier ! Vous êtes bouché ou quoi ?! Je vous dis qu'il est là, sain et sauf, chez moi ! Vous comprenez ? Passez-moi votre supérieur ! finit par lancer Stanislas, impatient.

En face, sur la banquette, Fabrice sentit instinctivement qu'il allait y avoir du rab à l'horreur que Saint-Avril venait de lui servir. Seulement les hasards sont parfois comme les chats ayant capturé les souris. Ils les laissent s'échapper, courir, croire en leur chance de survie, mais c'est juste pour le sport et pour affirmer un peu plus qu'ils sont définitivement les maîtres. D'un coup de griffe, d'un coup de langue, ils ramènent leur victime sur leur territoire et lui donnent le coup de grâce. Parfois, pervers, comme les chats, les hasards s'amusent. Avec les sonorités des mots, ils font des jeux. Avec les noms de leurs victimes aussi.

– Comment ça, Patrice ? !... Mais non, Fabrice ! Je vous assure, il m'a dit Fabrice ! gueula Stanislas dans le combiné.

Il releva la tête vers l'adolescent et demanda, soudainement pris de doute :

– Ton prénom, c'est Fabrice ou Patrice ?

– Patrice ! Patrice ! Pourquoi voulez-vous que ce soit Fabrice ? fit-il, paniqué.

Il fallait gagner du temps. Par où s'enfuir ? Il y avait une porte, là, derrière le fou, mais où donnait-elle ?

– Excusez-moi, monsieur l'agent, vraiment, je suis désolé, j'avais mal compris, c'est effectivement Patrice, mais le gamin était tellement bouleversé après tout ce qui lui est arrivé. Enfin, il est là, maintenant, je l'ai sauvé et je peux même vous indiquer où est la voiture de ses deux...

Il y eut encore un blanc. Un silence durant lequel Stanislas de Saint-Avril vira au cramoisi. Quand il reprit la parole, ce fut pour exploser.

– Comment ça, déjà retrouvé ! Je m'évertue à

vous dire qu'il est là, chez moi, devant moi ! Là, en chair et en os ! Patrice...

– ...

– Retrouvé mort ! ?... À Angers ?... Vous êtes sûr ? Mais bon Dieu, alors c'est que...

Violemment, comme si tout à coup il était devenu incandescent, Stanislas de Saint-Avril raccrocha le téléphone.

– Petit merdeux, c'est pas toi ! Qu'est-ce que tu m'as foutu comme merde ! hurla-t-il en se dressant face à Fabrice.

Celui-ci n'eut que le temps de constater qu'il n'atteindrait jamais la porte de derrière.

Les chats non plus ne s'amusent pas longtemps de leurs futures victimes. Comme des enfants, les hasards se lassent vite de certains jeux, et à table, quand il y a du rab, ils exigent qu'on termine les plats, comme le font certains parents.

10
Coup de main

Est-ce que les chats, même domestiques, retrouvent leurs instincts de fauves ?

Seul le premier coup de poing de Stanislas aurait pu suffire. Il envoya Fabrice valdinguer contre un radiateur sous la fenêtre. Son dos s'écrasa violemment sur la fonte. À quatre pattes, sonné, le garçon chercha à se redresser, il prit le pied de son tortionnaire en plein menton. Sa tête, balle de flipper, rebondit contre l'accoudoir de la banquette avant de cogner par terre. Il resta au sol en sentant le sang affluer dans sa bouche.

Est-ce que les fauves deviennent plus monstrueux à la vue ou à l'odeur du sang de leurs victimes ?

Comme il put, Fabrice tenta de trouver un refuge sous la banquette, Stanislas le cueillit par les pieds et le tira sur le tapis, renversant au passage la table basse, la tasse et le pot de chocolat. Fou et enragé, il shoota dans le ventre, les cuisses et la tête de l'adolescent.

L'enfer lui sembla durer des heures. Il n'avait plus la force de crier sous la douleur, encore moins de demander grâce. Le sang obstruait sa gorge, les larmes voilaient sa vue. Il sut que c'était son tour. Il allait mourir.

Est-ce que les victimes des monstres se mettent à espérer que leurs bourreaux soient plus efficaces afin que la délivrance vienne plus rapidement ?

Non seulement il n'avait plus la force de se défendre, mais il songea qu'il était lui aussi responsable de la mort de son propre père et peut-être de celle de sa mère... seule sa mort était logique, elle seule avait un sens. Alors qu'elle vienne, mais qu'elle vienne vite !

Fabrice écarta ses avant-bras de son visage. Il les ouvrit comme pour accueillir les nouveaux coups de ce diable qui continuait à hurler ses insultes. Il était crucifié de douleur et il attendait la bénédiction de l'acharné qui allait enfin l'achever.

Surpris par cette attitude et cet abandon, Stanislas suspendit ses coups mais pas ses hurlements féroces entrecoupés par un souffle enragé :

– Tu vas mourir, petite merde !... Tu vas crever... mais pas ici !... Pas chez moi !...

Ce n'est que par manque de force que Fabrice ne put acquiescer. Il était d'accord, cette promesse n'était qu'une confirmation.

Est-ce que les souris revoient défiler leur vie avant de mourir ? Est-ce que, au-delà de la douleur, il existe un territoire calme, serein, dans lequel peuvent une dernière fois éclore les souvenirs ? Ou est-ce simplement pour que la peur occupe moins de place ?

Avant de passer de l'autre côté de la vie, Fabrice repensa à Garance. Il ne calcula pas, cela arriva ainsi, ses pensées voguèrent vers elle. Peut-être parce qu'il se dit que mourir sans avoir jamais fait l'amour avec une fille était le pire. Pire que cette douleur, ce deuil, ce malheur. L'autre fou lui avait fait abominablement mal et il n'avait plus de forces pour réagir. Juste celle de serrer les dents, mais son crâne fit caisse de résonance. Les coups qu'il avait reçus sonnaient encore comme un écho. Il rouvrit la bouche, pas les yeux, et sentit s'échapper un filet de sang. Il garda les yeux clos, afin de rester encore dans son rêve d'amour.

... Garance, ses lèvres trop épaisses mais dessinées comme une invitation, son regard qui prenait toute la lumière lorsqu'elle se tournait vers lui ou qu'elle éclatait de rire. Ses seins, aussi...

L'enragé venait de l'attraper par les cheveux. Il le traînait à travers la pièce sans chercher à éviter les meubles, embarquant du même coup le tapis qui fit basculer le lampadaire.

... Plus que vraiment vus, Fabrice les avait devinés, il y a peu, à la piscine. Garance portait un maillot de bain noir d'une seule pièce au milieu duquel une fermeture Éclair était arrêtée à mi-chemin de sa course. Il avait adoré cette séance de piscine...

Arrivé à la porte, le fou l'ouvrit d'une main sans lâcher prise de l'autre. Elle donnait sur le hall d'entrée. Ils atteignirent une autre porte au fond, puis un petit escalier. Une dizaine de marches lui scièrent le coccyx et ils arrivèrent dans le garage. La 306 bâilla son coffre comme un lion rugissant. Stanislas aussi rugissait et soufflait en haletant, il n'était que rage et nage. Il souleva le corps meurtri de Fabrice pour le jeter dans cette gueule ouverte et sombre...

... Plus tard, en sortant de la piscine de l'île Gloriette, derrière les baies vitrées d'un café de la place du Commerce, attablés devant des chocolats chauds, ils étaient six ou sept. Il avait osé confier à Garance et devant les autres qu'il aimait énormément son maillot de bain. Tout le monde avait pouffé, lui aussi, pour la forme. Garance, gênée tout autant que ravie, lui avait lancé :

— Si tu veux le même, je te file l'adresse ! Je l'ai acheté passage Pommeraye, chez *Eurêka*, un tout petit magasin en haut des marches ! Tu peux y aller de ma part, je connais la vendeuse, une fille sympa, elle s'appelle Catherine...

Les autres étaient pliés en deux. Fabrice, écarlate.

— En plus, c'est le moment, elle solde tout. Elle liquide pour ouvrir bientôt un nouveau magasin. Par contre, je ne sais pas si elle aura ta taille... Tu fais combien, en bonnets ?

Évidemment, il s'était joint aux rires des autres, puis, prenant sa respiration, mais les joues toujours aussi rouges, il avait fait mouche :

– Tu n'as pas compris, Garance, je ne veux pas le même maillot. Le tien suffit amplement à mon bonheur !

– « Amplement », c'est une allusion à la taille des bonnets de Garance ? avait demandé Benoît en récoltant à son tour une nouvelle salve d'éclats de rire.

Le souvenir heureux de cette fin d'après-midi s'éteignit avec la fermeture du coffre.

Maintenant, il était plongé dans l'obscurité totale. L'air lui manquait dans ce sarcophage si étroit. Maintenant, il allait mourir ! Il entendit des bruits sans savoir ce qui se passait dehors, dans le monde qu'il allait quitter.

*

Stanislas cogitait en s'acharnant sur la porte du garage que la neige rendait difficilement coulissante.

Comment se laver de cet affront ?

Il n'avait pas donné son nom au téléphone, mais il avait cité le prénom de Fabrice. Le flic de garde pourrait faire le lien, cela ne remonterait certainement pas jusqu'à lui, mais quand même, si on retrouvait le corps du gamin, il était préférable que ce soit dans un sacré bout de temps, ou mieux... jamais.

Saloperie de neige, cochonnerie de porte !

Dans la rue passa un bonhomme en veste de cuir noir, le col remonté jusqu'aux oreilles.

– Fait pas chaud... lança-t-il à l'adresse de Stanislas.

Le propriétaire de la cochonnerie de porte ne daigna pas répondre. Du pied, il essayait de dégager le rail visiblement coincé par le gel. Tout à l'heure aussi, en arrivant avec le garçon, il avait eu du mal à faire coulisser cette foutue porte. Elle était même sortie de son rail, mais là, il y avait un autre problème.

– C'est rare de par chez nous ! Mais le spectacle est assez extraordinaire, faut bien l'avouer. Cela peut donner des clichés superbes... fit l'homme en montrant l'appareil photo qu'il tenait en bandoulière autour de son épaule.

Il avait envie de parler, Stanislas de filer. Accroupi, il continuait à dégager la neige.

– Vous voulez un coup de main ? fit l'autre en s'approchant de la grille du jardin.

– J'y arriverai tout seul ! J'ai presque fini ! s'écria Saint-Avril en se redressant vivement.

Il n'en était qu'à la moitié de la longueur de son rail.

– À deux, on aurait été plus vite... Enfin, c'est comme vous voulez...

– Vous n'avez que cela à foutre, sous cette neige ?! Me faire la conversation ? fit Stanislas en fusillant du regard le photographe amateur.

– Holà, excusez-moi ! Je voulais juste aider !...
Dites, encore une chose, est-ce que je peux vous
prendre en photo, c'est pour ma série sur « La
Baule en toutes saisons » ! Un projet de bouquin...
C'est bien votre maison ? Je vous demande ça pour
noter dans la légende du livre, enfin, si je réussis à
le faire publier.

– La maison ? Non, c'est pas chez moi, je loue
pour quinze jours, et pour la photo, pas question,
vous ne voyez pas que j'ai autre chose à faire !
Foutez-moi la paix !

– Bon, eh bien, tant pis... vous ratez l'occasion
d'entrer dans un livre ! Allez, bonne journée quand
même !

L'homme s'éloigna en traversant, sans presser le
pas, malgré la neige qui redoublait de violence.

C'était la plaque minéralogique de sa voiture qui
bloquait la porte. Elle avait dû tomber quand il était
entré en marche arrière tout à l'heure. Stanislas
s'abîma les mains pour la décoincer, mais il réussit
enfin à ouvrir son garage.

Assis au volant, il dut d'abord se calmer
– l'effort, les coups et l'importun photographe – et
souffler dans ses doigts avant de lancer le moteur
de la 306. Il réfléchissait encore au sort de Fabrice.

Retourner déposer le corps mort – évidemment
mort – du garçon sur les lieux de l'accident aurait
été l'idéal, mais il était trop tard, on avait sans
doute déjà découvert la Golf. Et puis, le coupable
qui retourne toujours sur les lieux de son méfait,

voilà bien une erreur indigne de lui... Partir, rouler loin et balancer ce sale môme dans un gouffre... oui mais, rouler loin sur et sous cette neige, sans plaque à l'avant en plus, s'avérait trop risqué. Ou alors... le « puits d'enfer », sur la côte sauvage, non loin du Croisic ! Il y avait toujours deux ou trois touristes par an pour faire le grand saut et la une des journaux, après avoir trop reculé, histoire de ne pas rater la photo panoramique.

Il s'engagea dans la rue en pensant qu'il n'était jamais en panne d'idées. Celle-ci n'était pas vraiment à la mesure de son incommensurable talent, mais assez futée tout de même.

Le remblai n'était pas complètement désert. Caparaçonnés comme des aventuriers sur le point de traverser l'Antarctique de part en part, quelques promeneurs et quelques mômes laissaient leurs traces dans la neige. Il croisa deux estafettes de flics qui semblaient pressées. Ses essuie-glaces peinaient à chasser les flocons, qui jouaient à cristalliser son pare-brise. Sur sa droite, les immeubles du front de mer formaient un mur en béton de plusieurs kilomètres festonné de balcons, paré à affronter un raz de marée assez peu probable. À sa gauche, l'arc de la plage s'étendait jusqu'au Pouliguen pour faire écrin à un océan Atlantique émeraude moutonné de blanc écume et de noir pétrole. Les plaques sombres de la marée noire du pétrolier *Érika,* coulé deux mois auparavant, constellaient la courbe parfaite de la baie d'innombrables taches de vieillesse. La neige, en fond de teint, cherchait à les camoufler.

Dans le coffre, il entendit un appel. Un cri que le moteur et les roues sur la neige rendaient inaudible dehors. Fabrice n'était pas encore mort, ça allait venir.

Et puis, le hasard, celui qui fait tomber les plaques minéralogiques, ou qui déclenche les tempêtes de neige dans une région où il ne neige jamais, voulut que Stanislas de Saint-Avril, en route pour le « puits d'enfer », croise un camion de la Sécurité civile. Celui-ci traînait une benne pleine du pétrole ramassé ces derniers jours sur les plages et sur les rochers de la côte de Loire-Atlantique... Sur le mur d'une pharmacie du front de mer, un tag en lettres noires épaisses et dégoulinantes résumait l'humeur de ce début d'année :

*Érika
nique la mer !!!*

Les hasards donnent parfois de noirs coups de pouce.

Stanislas éclata de rire, il venait de découvrir comment se débarrasser du gosse ! Pour un peu, il aurait béni le naufrage du pétrolier. Il se contenta – mais c'était une habitude chez lui – de se trouver, une fois de plus, génial.

Un autre car de flics passa sur le remblai, filant dans la direction opposée à la sienne. Il accéléra.

Absolument génial.

ainsi. Il ne lui facilitait que davantage la besogne. Stanislas songea qu'il ne fallait pas qu'il oublie de s'occuper des deux robinets de la maison de La Baule, comme il l'avait promis à sa mère. Il était non seulement génial, mais aussi un merveilleux fils, serviable et attentionné pour sa maman. Une fois liquidé le garçon, il préparerait à nouveau son concours d'entrée dans la police. Plus personne jamais ne se placerait sur sa route pour la lui obstruer. Il pensa également qu'en effet, comme l'avait laissé entendre le type tout à l'heure, ce panorama de mer et de rochers sous la neige avait quelque chose de magique et d'exceptionnel. Mais pas besoin d'être photographe pour s'en rendre compte.

Le hasard, ce jour-là, ne décida pas d'envoyer cette ordure de Stanislas de Saint-Avril dans le décor. De faire valser sa voiture contre un talus ou même en contrebas, sur les récifs, de l'arrêter dans sa course assassine et de sauver celui qui, tapi et meurtri dans le coffre, ne méritait pas le sort qu'on lui réservait. Le hasard ne décida pas de placer quelques outils oubliés dans le coffre de Stanislas, avec lesquels Fabrice aurait pu déverrouiller sa geôle et sauter sur la route. Le hasard avait décidé que le rivet de la plaque minéralogique de la 306 que conduisait Stanislas ne céderait qu'à La Baule et pas sur les lieux de l'accident, une quarantaine de kilomètres en aval. Le hasard n'aida donc pas les policiers de la brigade routière à retrouver la trace de ce monstre. Au moment précis où Stanislas roulait sur la côte en direction du Croisic, ceux-ci fouillaient toujours la neige à la recherche d'un indice. En vain. À ce même moment, les chirurgiens de l'hôpital de Saint-Nazaire s'affairaient au chevet de Françoise Concellis. Pour sa survie, cela devrait aller, avait murmuré le responsable des urgences, mais pour son bras c'était trop tard. Pour son mari aussi.

Une Laguna noire passa à toute allure. Elle venait du Croisic et filait en direction de La Baule. Le hasard voulut aussi qu'à son volant se trouve le frère de Françoise Concellis. Un coup de fil sur son téléphone portable venait de le prévenir de l'accident. Il avait abandonné précipitamment le repas de noce de sa fille Muriel, pour foncer vers l'hôpital où l'on transfusait sa sœur...

Parfois les hasards sont assassins. Ils se refusent à accorder les coups de pouce qu'on attend. Ils sont lâches et laissent faire la vie. Mais, ce samedi de février, c'est la mort qui était en route dans cette 306 et qui dénicha enfin ce qu'elle cherchait. Le sommet de la flèche du camion-grue indiqua l'emplacement exact à Stanislas.

Il bifurqua sur la droite, un bon kilomètre avant Batz-sur-Mer, et engagea sa 306 sur une voie étroite qui menait au chemin des douaniers, celui qui serpente le long de l'océan en épousant parfaitement chaque sursaut des rochers. Quand il ne put plus avancer, il descendit de la voiture et marcha jusqu'au bord de la falaise. Là, quelque dix mètres en contrebas, se dressait la grue surmontant une grande benne, de six mètres sur trois, pleine des tonnes de pétrole et de sable ramassés ces derniers jours sur le littoral. La grue servait à charger la benne dans les camions qui emportaient ensuite les déchets pour leur incinération à la raffinerie de Donges, sur l'estuaire de la Loire. Des engins pareils, on en comptait une bonne dizaine sur le littoral depuis le naufrage du pétrolier.

Stanislas revint vers la voiture, ouvrit le coffre et annonça à la larve de garçon tapie au fond :

– Terminus, petit merdeux ! Et quand je dis terminus, c'est vraiment là qu'on va se séparer !

La main qui tira Fabrice violemment hors de sa prison lui fit moins mal que la brusque lumière du ciel et de la neige. Dans le coffre, il avait été dans l'antichambre de la mort, maintenant il arrivait au bout du chemin. Stanislas le poussa en direction de l'océan. Il reconnut vaguement l'endroit où ils se trouvaient. Non loin de là, il y avait une crêperie surplombant la mer. Ses parents aimaient s'arrêter certains dimanches soir en rentrant de la côte. L'homme allait le noyer, sans doute ! Le pousser de la falaise ! Il pensa que par un temps pareil, il ne risquait pas d'être secouru par le moindre promeneur. Garance avait quitté ses pensées. Il essayait encore de comprendre pourquoi il allait mourir, mais il était incapable de mener sa réflexion au-delà du message inscrit sur la vitre de la voiture de son père. Et puis une autre question vint occuper tout l'espace. Une question, gigantesque et terrible, impossible à maîtriser et à chasser : est-ce que c'est la chute ou l'hydrocution qui allait le tuer en premier ?

La poigne de l'autre serrait comme un étau brûlant, mais Fabrice ne chercha même pas à se débattre ou s'échapper. Il n'était plus qu'une loque prête à disparaître.

... « *Sans souffrir, s'il vous plaît, monsieur le bourreau, sans souffrir davantage, je vous en prie !* » se dit-il.

« *Une prière ? Il faudrait dire une prière, au cas où...* » Cette idée aussi le traversa. Il ne connaissait aucune prière.

Non, l'homme n'allait pas le précipiter d'en haut.

Stanislas le fit descendre sur la petite plage par un chemin abrupt et glissant. Fabrice trébucha plusieurs fois, mais Saint-Avril tenait ferme sa prise et son équilibre.

... Lui vinrent simplement quelques vers d'un poème qu'il avait griffonné après une représentation de théâtre au collège. Quelques mots sur le meurtre de Desdémone par son mari Othello dans la pièce de Shakespeare :

Le pire n'est pas la fin des choses,
*   mais le silence qui l'accompagne.*
Si Desdémone est morte,
*   c'est de ne pas avoir su pourquoi.*

– Tu fais ta prière, petit con ? T'as raison, c'est le moment !

En entendant Saint-Avril ricaner ainsi, il se rendit compte que sans le vouloir, il avait récité ses vers à haute voix.

Sur la plage, le sable mêlé de mazout et de neige ralentissait leur progression. Au pied de la grue, une espèce de petite passerelle servait aux bénévoles nettoyeurs de pétrole à monter jusqu'au bord de la benne pour y vider leurs poubelles pleines de déchets. En lui tordant le bras derrière le dos, Stanislas fit monter la pente de son calvaire à Fabrice. Ce n'est qu'arrivé à l'aplomb de la benne que le garçon comprit où et comment il allait mourir. Sous lui, à cinquante centimètres, la surface de mazout recouverte de neige avait pris des teintes irisées, psychédéliques. Fabrice tenta de reculer, de résister, l'autre poussait. L'odeur était suffocante, l'enfer devait avoir exactement cette puanteur. Fabrice résista encore, Stanislas le frappa violemment. Le tranchant de sa main l'atteignit à l'épaule, la clavicule se brisa et le garçon se retrouva à genoux à l'extrémité de la passerelle.

Il pleurait, mais, portés par le vent soufflant du large, les flocons de neige tentaient de camoufler ce sanglot. Son dernier sanglot. Dans un effort, il releva la tête, regarda l'Atlantique en face de lui. L'océan était montant. Soutenu par le vent qui s'était levé et par la neige traîtresse, il lançait son assaut avec ambition. Fabrice essaya de se persuader que c'était là qu'il allait plonger et disparaître, qu'il méritait l'immensité qui venait le chercher et pas cette souille irisée, immonde et pestilentielle qui obstruait ses poumons à chaque inspiration.

Il ferma les yeux en entendant l'autre crier et s'élancer vers lui pour le pousser du pied :

– Tu vas connaître une fin très raffinée ! À Donges ! Bonne baignade, saloperie de petit menteur ! Essaye donc de nager, si tu peux... et si par hasard t'arrives quelque part, en enfer ou au paradis, envoie-moi une carte post...

... Et la balle claqua. Pas le pied du meurtrier sur le dos de Fabrice...

Une balle de revolver qui atteignit Stanislas de Saint-Avril au bras gauche. Un projectile qui le plia en deux sur la passerelle et qui, lui, n'arriva pas par hasard...

– Je t'avais prévenu, Saint-Avril, tu aurais pu avoir ton nom dans un livre de photos... Tu vas juste avoir ta belle petite gueule dans les journaux ! Après, elle disparaîtra, comme toi !

L'homme se tenait à vingt mètres derrière la grue, son arme toujours braquée, prête à shooter l'assassin. L'appareil photo en bandoulière battait contre la veste de cuir noir au col remonté.

– Viens, petit... recule doucement et viens, c'est fini !

Fabrice mit du temps à oser ouvrir les yeux. Il n'avait pas compris que c'est à lui que l'étranger s'adressait. Il tenta de se redresser, mais tremblant de froid, il n'arriva pas à bouger.

– Stanislas de Saint-Avril, je t'arrête pour l'assassinat du Dr Joël Steinberg hier soir, à

Nantes ! Pour ce meurtre et pour la tentative d'homicide sur ce garçon ! Tu t'allonges bien gentiment là où tu es, ou alors tu meurs dans la seconde !

— Joël Steinberg ? fit Stanislas en se mettant à plat ventre et en tentant de garrotter l'hémorragie à son bras avec son autre main. Je ne connais pas de Joël Steinberg !

— Garde ta salive pour le jury d'assises qui va t'envoyer vieillir en tôle, salopard !

— Je ne connais pas de Joël Steinberg ! répéta Saint-Avril, en hurlant, peut-être pour se convaincre lui-même.

— Tu ne m'amuses pas, ordure ! Steinberg était mon ami, il a téléphoné hier après-midi pour indiquer à nos services que tu rôdais devant son cabinet ! T'es un mec pas net, Saint-Avril, et lui, il connaissait son boulot de psy ! C'est pour cela qu'il t'a fait gicler du concours !

L'homme s'approcha doucement de la grue, il n'était plus qu'à dix mètres, son arme toujours braquée sur Stanislas.

— Quels services ? De quoi vous parlez ? Je veux un avocat !

— Ta maman s'en occupe déjà, mon gros lapin, c'est elle qui m'a indiqué où te trouver ce matin ! Et pour le service, c'est celui du grand banditisme à Nantes, un service dans lequel on n'a pas besoin de déchets dans ton genre ! Je suis inspecteur, et je te conseille de ne pas remuer un seul de tes sourcils... Viens, garçon... c'est terminé, éloigne-toi !

Fabrice était toujours incapable de faire le moindre geste. Son corps n'était plus que douleur.

– Pourquoi n'êtes-vous pas intervenu tout à l'heure, devant chez moi ?

Stanislas était en train d'abdiquer, il voulait juste comprendre où il avait commis ses erreurs.

– Parce que je connais la loi mieux que toi ! Je n'ai pas de mandat ! Je ne suis pas en service. Par contre, ici, je te cueille en plein flagrant délit ! Ton avocat, ta batterie d'avocats auront beaucoup de mal à obtenir autre chose que la perpétuité ! T'es foutu profond, je te dis, jusqu'à l'os !

L'inspecteur était à quelques mètres de la passerelle. Il répéta à Fabrice de s'éloigner, mais le garçon terrorisé ne bougea toujours pas, il tremblait, c'est tout. Il attendait encore que l'océan le capture.

Et puis, le hasard, sans doute vexé de n'être pour rien dans cette arrestation et dans ce dénouement, se réveilla... Alors que le policier venait de sortir une paire de menottes de sa poche, il marcha sur une plaque de mazout parfaitement recouverte de neige. Il vacilla, tenta de reprendre l'équilibre, vacilla un peu plus, et tomba lamentablement à la renverse. Son arme vola en l'air et atterrit aux pieds de Fabrice sur le rebord de la passerelle. Stanislas sut que c'était sa chance, sa seule chance. Il se redressa, mû par une rage et une force incroyables. À quelques pas, Fabrice, en voyant l'arme arriver à côté de lui, eut peur à nouveau. La mort l'avait tant caressé depuis des heures ! Tétanisé à l'idée d'une nouvelle étreinte avec elle, il recula à la simple vue de ce revolver. Il recula juste un peu sur le côté de la passerelle au moment où Saint-Avril, croyant que le garçon allait au contraire plonger pour s'emparer de l'arme, s'élançait pour la récupérer.

Aussi Stanislas s'élança trop, pas beaucoup, mais un peu trop.

Il atterrit au bord de la passerelle, saisit l'arme et continua son plongeon de quelques centimètres. Assez pour basculer dans la puanteur de la benne.

Pas un cri.

Gourmands, le pétrole et la neige se rassasièrent du corps de Stanislas de Saint-Avril. Il disparut en quelques secondes, la tête la première.

Pas un cri. Plus rien après la délicate succion du corps dans le pétrole, plus rien sinon la puissante symphonie de l'océan, maître de l'horizon qui battait la plage avec une régularité de métronome.

Parfois les hasards changent de camp.

Mais ils sont lents à choisir.

Le reste n'est fait que de larmes et de beaucoup de soins. De blessures qui ne se referment que très difficilement. Le reste est bardé de dépositions au commissariat, de rapports d'enquêtes et d'articles de journaux qui ne font pas la lumière sur tout. Le reste, ce sont des deuils si longs à faire, mais aussi de l'amour. Plus tard. Entre une mère et son fils. Entre son fils et des jeunes filles aux maillots de bain ravissants.

Le reste, c'est la vie. C'est elle qui doit gagner, toujours ! Et pour consacrer sa victoire, on ne peut jamais compter sur les hasards.

Table des matières

Cet ouvrage a été réalisé par

FIRMIN DIDOT

GROUPE CPI

Mesnil-sur-l'Estrée

pour le compte des Éditions Pocket Jeunesse
en avril 2002

 - 12, avenue d'Italie - 75627 PARIS CEDEX 13
Tél. : 01-44-16-05-00

Imprimé en France
Dépôt légal : juin 2002
N° d'impression : 58630